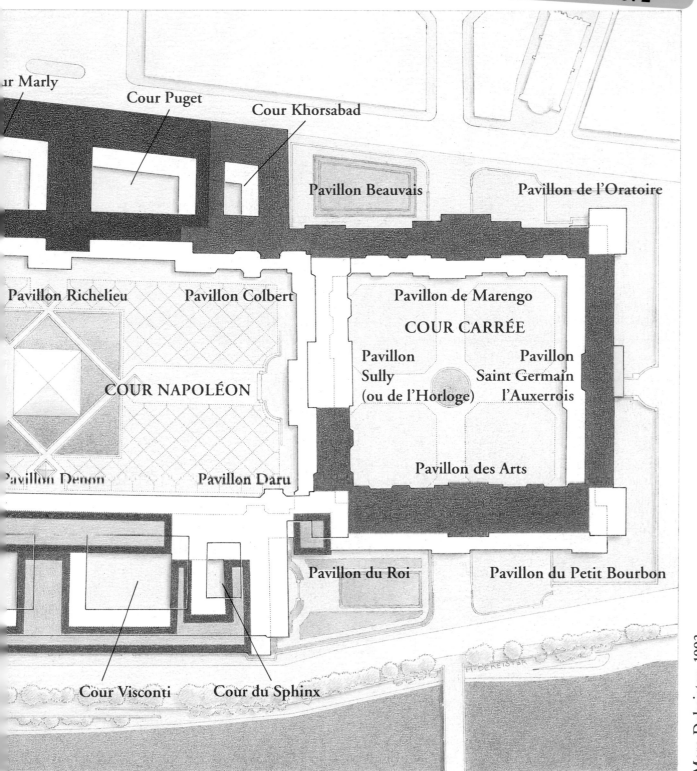

ur Marly

Cour Puget

Cour Khorsabad

Pavillon Beauvais

Pavillon de l'Oratoire

Pavillon Richelieu

Pavillon Colbert

Pavillon de Marengo

COUR CARRÉE

Pavillon
Sully
(ou de l'Horloge)

Pavillon
Saint Germain
l'Auxerrois

COUR NAPOLÉON

Pavillon Denon

Pavillon Daru

Pavillon des Arts

Pavillon du Roi

Pavillon du Petit Bourbon

Cour Visconti

Cour du Sphinx

Marc Dekeister, 1993

2ème ÉTAGE École française

2ème ÉTAGE École du Nord

To - Barb,

A work of art, herself!

Love,
Betty + Henry

Oct. 1995

From - The LOUVRE, Paris

Sommaire

Chronologie

1180-1223 Philippe Auguste

1364-80 Charles V

1515-47 François Ier

1547-59 Henri II

1559-60 François II
1560-74 Charles IX

1574-89 Henri III
1589-1610 Henri IV

1610-43 Louis XIII

1190   Sous Philippe Auguste, construction du donjon et de la forteresse du Louvre (emplacement du quart sud-ouest de l'actuelle cour Carrée).

1214   Le donjon, achevé, contient le trésor, les archives et le garde-meuble royaux, et sert de prison.

1365-70   Sous Charles V, agrandissement du château vers le nord et l'est ; le donjon est maintenant entièrement entouré de bâtiments. Le roi y réside parfois, mais le siège de la cour est à l'hôtel Saint-Paul, à l'est de Paris.

Fin XVe-début XVIe   Les rois résident dans la vallée de la Loire.

1527   François Ier décide de faire du Louvre sa résidence ; destruction du célèbre donjon.

1546   A la fin de son règne, François Ier charge Pierre Lescot de réédifier le Louvre. La collection de tableaux constituée par le roi va rester au château de Fontainebleau jusqu'au milieu du XVIIe siècle.

1547-49   Sous Henri II, achèvement de l'aile de Lescot (partie sud de l'aile ouest de l'actuelle cour Carrée) décorée par le sculpteur Jean Goujon ; construction du pavillon du Roi (emplacement de l'actuelle salle des Sept Cheminées).

1559-74   Poursuite des travaux, bâtiments sud de l'actuelle cour Carrée.

1564-74   Catherine de Médicis charge Philibert Delorme d'édifier pour elle, hors les murs de Paris, un château de plaisance appelé les Tuileries.

1566   Construction de la Petite Galerie (dont la galerie d'Apollon occupe actuellement l'étage).

1595-1610   Sous Henri IV, construction par Louis Métezeau et Jacques II Androuet Du Cerceau de la Grande Galerie : le nouveau château des Tuileries est relié au Vieux Louvre.

1624-54   Sous Louis XIII et Louis XIV, Jacques Lemercier construit le pavillon de l'Horloge, attenant à l'aile de Lescot et, en symétrie vers le nord, une réplique de cette dernière.

1641-42 Décor de la voûte de la Grande Galerie confié à Nicolas Poussin, sur le thème de l'*Histoire d'Hercule* ; après un début de réalisation, l'entreprise sera abandonnée.

1655-57 Décoration par l'Italien Romanelli de l'appartement d'Anne d'Autriche (rez-de-chaussée de la Petite Galerie).

1659-64 Louis Le Vau édifie les ailes nord et sud de la cour Carrée.

1661-70 Après l'incendie de la galerie des Rois, au premier étage de la Petite Galerie, construction par Le Vau de la galerie d'Apollon.

1664-66 Importants agrandissements et transformations des Tuileries, par Le Vau et François d'Orbay.

1667-70 Construction par Le Vau, d'Orbay et Claude Perrault de la Colonnade, façade est du palais. La façade de Le Vau, au sud, est dissimulée par une nouvelle façade d'un style accordé à celui de la Colonnade.

1674 Abandon des travaux du Louvre ; de 1678 à 1789, c'est Versailles qui sera la résidence du souverain et de la cour. La collection de tableaux du roi, organisée comme un véritable musée, est réunie au début du règne au Louvre et dans l'hôtel de Gramont attenant. Elle sera progressivement dispersée dans les résidences de la Couronne.

A partir de 1725 L'exposition de l'Académie royale de peinture et de sculpture se tient au Louvre dans le salon Carré ; d'où le nom de «Salon» qui lui restera. Cette pratique durera jusqu'en 1848.

A partir de 1754 Transformation par Jacques Ange Gabriel du second étage de la cour Carrée.

1755 Exposition au public d'un choix de tableaux de la collection royale au palais du Luxembourg.

1755-74 Dégagement des vieux quartiers qui encombraient ou masquaient en partie la cour Carrée et la Colonnade.

1643-1715 Louis XIV

1715-74 Louis XV

1774-92 Louis XVI

1774   Le comte d'Angiviller devient surintendant des Bâtiments du roi ; études et projets pour la création d'un « muséum » dans la Grande Galerie.

1777   La Grande Galerie est débarrassée des « plans en relief » des places fortes du royaume qui l'occupaient.

1784   Hubert Robert, conservateur des collections du roi, est chargé de la préparation du muséum.

1789 Révolution française

1789   Éclairage zénithal installé au salon Carré. Le roi est de retour à Paris : Louis XVI habite aux Tuileries.

1791-92   La collection royale devient collection nationale. Saisies d'œuvres d'art dans les églises, les couvents et chez les émigrés. Préparation de l'ouverture du muséum par une commission d'artistes.

1793   Ouverture du Muséum central des arts. Décret instituant un musée spécial de l'école française au château de Versailles.

1796-1807   Afflux au Louvre d'œuvres d'art cédées ou réquisitionnées aux Pays-Bas, en Italie et en Allemagne.

1800   Napoléon Bonaparte s'installe aux Tuileries.

1802-1815   Vivant Denon, directeur du musée qui prend en 1803 le nom de musée Napoléon.

1806   Construction, par Percier et Fontaine, de l'arc de triomphe du Carrousel, porte monumentale d'accès aux Tuileries.

1810-14   Construction, par les mêmes, de l'aile nord, le long de la rue de Rivoli.

1815-24 Louis XVIII

1815   Après Waterloo, les œuvres d'art cédées ou réquisitionnées regagnent leurs pays d'origine à l'exception d'une centaine de tableaux, de peintres italiens surtout, qui restent au Louvre.

1818   Création de la galerie royale du Luxembourg, réservée aux artistes contemporains.

1824-30 Charles X

1827   Aménagement du musée Charles X dans l'aile sud de la cour Carrée.

1830-48 Louis-Philippe

1838   Inauguration, dans l'aile de la Colonnade, du

«Musée espagnol» de Louis-Philippe, qui sera restitué en 1848 à la famille d'Orléans.

1848-51 IIᵉ République

1848   La IIᵉ République décide l'achèvement du Louvre, «palais du Peuple» consacré aux sciences et aux arts. Restauration et décors de Duban ; commande à Eugène Delacroix d'une peinture pour la galerie d'Apollon.

1851   Inauguration des nouvelles installations par le prince-président Louis Napoléon Bonaparte.

1852-70 Napoléon III

1852   Démolition par le baron Haussmann des vieux quartiers séparant le Louvre des Tuileries.

1852-57   Construction du «Nouveau Louvre» par Louis-Tullius Visconti puis Hector Lefuel ; les deux palais sont reliés au nord par un ensemble de bâtiments qui renferment le quadrilatère ; de nouvelles ailes sont jetées de chaque côté de la cour Napoléon, ménageant de vastes cours et permettant l'installation de grandes salles à éclairage zénithal.

1861-70   Reconstruction par Lefuel du pavillon de Flore décoré par Jean-Baptiste Carpeaux et de la partie orientale de la Grande Galerie ; construction de monumentaux «guichets» côté Seine.

1870-1940 IIIᵉ République

1871   Sous la Commune, l'administration du musée est assurée par un conservatoire d'artistes, parmi lesquels Gustave Courbet, Honoré Daumier, Félix Bracquemond. Incendie des Tuileries ; les murs, restés debout, ne seront abattus qu'en 1883, et la perspective de l'arc du Carrousel à l'arc de l'Étoile est alors dégagée.

1895   Création de la Réunion des musées nationaux, organisme possédant une caisse financière autonome destinée à financer les achats et gérée par le Conseil des musées nationaux.

1897   Fondation de la Société des amis du Louvre.

1914-18 Première Guerre mondiale

1929   Début, sous l'autorité de Henri Verne, directeur des Musées, de la réalisation d'un grand plan de réorganisation générale des collections du Louvre, comportant notamment le parachèvement du décor de la Grande Galerie en reprenant des projets de Hubert Robert.

1939-45 Seconde Guerre mondiale
1945-58 IVᵉ République

A partir de 1945   Réouverture des salles, dont les collections avaient été évacuées pendant la guerre.

1958 Vᵉ République

1953   Triple composition décorative de Georges Braque, *Les Oiseaux*, remplaçant au plafond de la salle Henri II des tableaux de Merry-Joseph Blondel (1882).

1961   Ouverture des salles de peinture du XIXᵉ siècle, au deuxième étage de la cour Carrée.

1968-72   Ouverture de la Grande Galerie, du salon Carré, des galeries Mollien et Daru restaurées.

1969   Ouverture des salles de l'aile et du Pavillon de Flore restitué au musée par le ministère des Finances.

1989   Ouverture d'une première série de salles au second étage de la cour Carrée (aile ouest et nord) consacrées à la peinture française jusqu'à la fin du XVIIᵉ siècle.

1992   Ouverture des autres salles de la cour Carrée (aile est, sud et partie sud de l'aile ouest) consacrées à la peinture française du XVIIIᵉ au XIXᵉ siècle.

1993   Ouverture des salles de l'aile Richelieu (ancien ministère des Finances) consacrées aux écoles du Nord et au début de l'école française du XIVᵉ au XVIIᵉ siècle.

La peinture française

Hubert Robert a peint de nombreuses vues de la Grande Galerie du Louvre, vues réelles mais aussi vues imaginaires constituant en quelque sorte des projets pour un musée idéal. En 1796, lorsqu'il peint ce tableau (le plus important de la série), la galerie n'était encore qu'un interminable couloir éclairé par des fenêtres latérales et reliant le Louvre et les Tuileries. Les architectes successifs qui ont donné à la Grande Galerie son éclairage et son décor définitifs n'ont fait que donner forme aux idées d'Hubert Robert. On reconnaît sur le tableau plusieurs chefs-d'œuvre du Muséum central, notamment *La Sainte Famille de François Ier* de Raphaël et *La Mise au tombeau* de Titien.

Introduction

Lorsque l'on divise la collection de peinture du Louvre en deux parties, le fait d'accorder le même développement à l'école française et aux écoles étrangères fera sans doute sourire tout le monde — hormis, probablement, les Français. On voudra bien, pourtant, ne pas voir dans la division ainsi adoptée, quelque manifestation d'aveugle chauvinisme. L'Italie, il est vrai, eût peut-être mieux mérité cette situation prédominante, si l'on considère les limites chronologiques ici fixées, qui ne vont guère au-delà du milieu du XIXe siècle, et excluent donc l'impressionnisme et la peinture de la fin du siècle. Mais le fait est là : numériquement, les toiles françaises représentent plus de la moitié de nos collections ; par la qualité et la célébrité, elles constituent de très loin l'ensemble de peinture française le plus important qui soit. Il n'est guère d'artiste français — si ce n'est Watteau à la Wallace Collection de Londres ou au château de Charlottenburg à Berlin, ou Bourdon à l'Ermitage de Saint-Pétersbourg — que l'on puisse étudier ailleurs mieux qu'au Louvre. Il paraît donc légitime, si l'on veut donner ici une image du musée qui ne soit pas trop infidèle, de consacrer à la peinture française au Louvre un volume entier.

Tentons ici de fixer les principales étapes de la constitution de cette collection unique, depuis le début du XVIe siècle jusqu'à nos jours.

François Ier, on le sait, fait travailler à Fontainebleau des peintres italiens et collectionne des tableaux italiens : il préfère les œuvres de Léonard de Vinci à celles, contemporaines, du Maître de Moulins. Dans ces conditions, quels tableaux français pouvait alors contenir la collection du roi de France ? Des portraits de famille, sans doute. Nous conservons encore, précisément, le portrait du roi François Ier, attribué à Jean Clouet, qui est devenu le symbole de la pérennité des collections du Louvre, collections nationales issues des collections royales.

Il faudra attendre Henri IV, après une longue période de guerres civiles, pour que le roi s'intéresse de nouveau à l'art au point de commander des peintures : certains des Toussaint Dubreuil qui décoraient le château Neuf de Saint-Germain-en-Laye sont parvenus jusqu'à nous. Mais il ne s'agit là que de vestiges d'ensembles décoratifs, non d'une collection de tableaux. Louis XIII, lui, fait peindre Simon Vouet, appelle Poussin pour décorer, au Louvre, la Grande Galerie, et lui commande un grand retable ; mais il n'est pas collectionneur.

C'est Louis XIV qui reprend avec éclat la tradition instaurée par François Ier. De son règne date la véritable constitution des collections françaises. Quatre artistes contemporains dominent ; deux d'entre eux sont des « Romains », Poussin et Claude Lorrain, les deux autres sont les premiers peintres du roi, Le Brun, puis Mignard. Dès 1661, 546 tableaux, parmi les plus beaux de la collection de Mazarin, entrent dans celle de la Couronne ; on ne connaît malheureusement pas la liste des 77 œuvres françaises comprises dans cet ensemble. Tout au long de son règne, de nombreux et admirables Poussin et

Claude Lorrain seront acquis par le roi ou lui seront offerts. Un premier inventaire est dressé en 1683 par Le Brun, garde des tableaux du roi. Un autre inventaire, systématique celui-là, sera rédigé par Bailly en 1710 ; il dénombre 2376 tableaux parmi lesquels 898 copies, des toiles anonymes, d'attribution problématique, et certaines œuvres de Le Brun, Verdier et Mignard. Parmi les 1478 tableaux constituant réellement, si l'on peut dire, la collection, on compte 930 Français, une forte majorité donc, mais dans laquelle sont comprises les nombreuses toiles commandées pour décorer les châteaux royaux. Le cabinet du roi se trouve au Louvre, dans la nouvelle aile de Le Vau. Au fil des ans, de nombreux tableaux de cet ensemble seront envoyés à Versailles et dans les autres résidences de la cour.

Louis XV, à la différence de ses contemporains, le roi de Prusse, les princes allemands, la tsarine, la reine de Suède, n'est guère amateur de peinture ; la fabuleuse collection de Crozat, baron de Thiers, est vendue tout entière à la Grande Catherine en 1770. A l'exception de quelques tableaux achetés à la succession Carignan en 1742, les collections de la Couronne ne s'enrichissent alors que de toiles commandées par l'administration des Bâtiments pour décorer les demeures royales ou servir de cartons de tapisserie ; ce qui vaut tout de même à notre Louvre des peintures importantes de Boucher, Lancret, Vernet, Oudry, Van Loo et Fragonard. Néanmoins, c'est sous Louis XV que se fait jour l'idée de montrer aux artistes et au public une partie de la collection royale. Dès 1750, 110 tableaux sont exposés dans un appartement du palais du Luxembourg ouvert, en même temps que la galerie Médicis de Rubens, deux demi-journées par semaine. Cet embryon de musée, l'ancêtre du Louvre, accessible jusqu'en 1779, présente parmi les peintres français onze Poussin, quatre Claude Lorrain et autant de Valentin ; Vouet, Le Sueur, Le Brun, Rigaud, Antoine et Noël Coypel, Mignard, La Fosse, Santerre, Vivien et Lemoyne sont représentés, quant à eux, par une ou deux œuvres.

Le règne de Louis XVI est déterminant ; il aurait vu sans aucun doute, sans le raz de marée de la Révolution, l'ouverture du musée du Louvre. En 1774, l'année de l'accession du roi au trône, le comte d'Angiviller devient surintendant des Bâtiments. Il a compris le rôle que peut jouer l'étude des chefs-d'œuvre anciens dans la «rénovation» de la peinture française, et veut installer, dans la Grande Galerie du Louvre aménagée à cette fin, le «muséum». Plusieurs projets sont élaborés, des travaux entrepris. Il cherche à combler les lacunes des collections et mène une politique systématique d'encadrement des œuvres, dans un souci d'unification ; on enregistre alors la véritable naissance en France de l'esprit de musée, dans l'acception moderne du terme. Les achats de toiles françaises sont fréquents : tableaux d'histoire commandés aux contemporains, mais aussi œuvres du XVIIe siècle, notamment les séries de Le Sueur.

Le Muséum central des arts ouvre finalement ses portes pendant l'été 1793, sous la Convention. La galerie de Louis XVI devient celle de la Nation, et les dirigeants révolutionnaires, confrontés pourtant aux pires difficultés, ont à cœur de mener à bien l'entreprise préparée sous la monarchie. C'est que la notion de musée, dans l'Europe d'alors, est arrivée à maturité. Mais la réalisation connaît une ampleur que nul, sous l'Ancien Régime, n'aurait pu prévoir. Aux œuvres de la collection royale s'ajoutent, en nombre considérable, celles saisies dans les églises et les couvents, et chez les nobles émigrés, ainsi que celles appartenant aux collections de l'Académie royale. Une commission du Muséum, composée essentiellement d'artistes, décide des œuvres à retenir pour le Louvre. Le premier accrochage mêle de façon surprenante siècles et écoles. Mentionnons parmi les Français de nombreux Le Sueur, des Poussin, Vouet, Patel, Champaigne, Valentin, Dughet, Bourdon, Mignard, Jouvenet, de nombreux Vernet, Desportes, deux Trémolières, un petit Subleyras, un Vignon (aujourd'hui à Grenoble), et même un Tournier, attribué alors à Manfredi (aujourd'hui au Mans) ; le tableau français le plus ancien est *Le Jugement dernier* de Jean Cousin le Fils, provenant des Minimes de Vincennes. La masse des œuvres recueillies est telle que, dès 1793, doit être constitué au château de Versailles un « Musée spécial de l'école française », où figurent notamment les morceaux de réception des « ci-devant » académiciens. La notice de 1802 y mentionne 352 peintures : 23 Poussin, 10 Le Brun, 7 Mignard ; mais aussi Vouet, Bourdon, les séries de Le Sueur, Lorrain, La Fosse, Subleyras, Jouvenet, Rigaud, Chardin, Doyen, Tocqué, Van Loo, Lagrenée, Vernet. On y voit aussi des contemporains : Fragonard, Greuze, Vien, entre autres. Dès l'Empire, cet éphémère musée sera démembré.

L'énorme rassemblement constitué dans les différents dépôts et au Louvre n'est pourtant qu'un début : les armées victorieuses de la République, puis de l'Empire, réquisitionnent dans toute l'Europe, en Italie puis en Allemagne, les œuvres d'art les plus prestigieuses des collections princières, des églises et des couvents. Vivant Denon est, sous l'Empire, l'organisateur et le grand maître de ce musée unique. Ainsi, pendant un court moment, le Muséum, devenu musée Napoléon, possède-t-il, prodigieux butin, le patrimoine de l'Europe. Notons que la part accordée à la peinture française y est limitée : la Grande Galerie réserve quatre travées aux écoles du Nord, quatre aux écoles d'Italie, une seulement à l'école française.

Après Waterloo, le rêve du musée Napoléon s'évanouit, et la majorité des « conquêtes » retournent dans les villes d'où elles proviennent. Le Louvre s'en trouve singulièrement dégarni. Mais le démantèlement du musée Napoléon ne lui est pas fatal. Le musée, rattaché à la liste civile, dépend à nouveau directement du souverain. Louis XVIII conserve nombre des œuvres saisies chez les émigrés et dans les églises ; le musée du Louvre est à présent considéré comme une grande institution nationale. Ses collections affirment dès lors une vocation plus française. Reviennent du Luxembourg, en même temps que la série Médicis de Rubens, les suites de *Saint Bruno* de Le Sueur et des *Ports de France* de Vernet. C'est le moment où sont achetées de nombreuses toiles contemporaines (David, Girodet, Guérin) qu'abrite le musée du Luxembourg, ouvert en 1818 et destiné aux peintres vivants.

La grande entreprise du règne de Louis-Philippe réside dans la constitution du musée historique de Versailles, et le Louvre s'en trouve quelque peu délaissé. Mais après la courte République de 1848, qui projette de faire du Louvre un « palais du Peuple », incluant le musée, la Bibliothèque nationale et des salles d'exposition, le Second Empire constitue l'un des grands moments de l'histoire du Louvre. Par la volonté du souverain, en un temps record, l'énorme ensemble Louvre-Tuileries est complété ; les immenses salles de peintures, qui constituent une des originalités du musée, sont alors construites. Quelques acquisitions précieuses sont réalisées. Il convient de noter, en 1869, le legs de la collection La Caze, la plus belle jamais reçue par le Louvre. Dans le domaine de la peinture française du XVIIe et surtout du XVIIIe siècle, l'apport de La Caze est inappréciable : on n'ose penser de quelle façon, sans lui, Largillière, Watteau, Chardin ou Fragonard seraient représentés. Le docteur La Caze a suppléé aux carences de Louis XV collectionneur.

Avec la proclamation de la République, le Louvre devient durablement musée national ; l'ambiguïté créée par l'existence d'un musée dépendant de la liste civile du souverain est terminée. L'enrichissement des collections de peinture sera, dès lors, lent et méthodique, et c'est à la faveur d'une connaissance plus large et plus complète de la peinture française, grâce aux historiens d'art, que les acquisitions seront réalisées. La générosité des collectionneurs ne se démentira plus ; dons et legs se multiplient. Ce sont, par exemple, les amateurs qui constituent pour une large part, grâce aux dons de galeries entières, l'ensemble sans rival de peinture du XIXᵉ siècle que peut aujourd'hui présenter le Louvre, en rectifiant, bien souvent, ce que la politique officielle d'achat avait pu avoir de lacunaire ou de partisane : entrée des collections Thomy Thiéry (1902), Moreau-Nélaton (1906), Chauchard (1910), Camondo (1911). Citons, pour la peinture française ancienne, l'apport des collections Schlichting (1914), Robert (1926), Croy (1930), Jamot (1941), Beistegui (1942), Gourgaud (1965), Lyon (1961), Schlageter et Kaufmann (1984).

Mieux que tout, l'action exemplaire de la Société des amis du Louvre, fondée en 1897, a permis l'entrée au Louvre de certains des plus grands chefs-d'œuvre de la peinture française, de la *Pietà d'Avignon* (1905) au *Saint Sébastien* de La Tour (1979). Évoquons enfin la loi sur les dations qui, en autorisant le règlement des droits de succession par des œuvres d'art, a apporté au Louvre des toiles majeures de Champaigne, de Fragonard, de Greuze, de Prud'hon et de Courbet.

Le visage des salles de peinture française s'est trouvé considérablement modifié avec l'ouverture, au printemps 1989, des nouvelles salles du second étage de la cour Carrée. Du XIVᵉ siècle à la fin du XVIIᵉ siècle, les collections ont pu se développer bien plus largement avec de nombreuses œuvres sorties des réserves, en particulier les grands formats du XVIIᵉ siècle : Le Sueur, Philippe de Champaigne, Le Brun, Jouvenet se sont trouvés enfin montrés dignement. En décembre 1992 ont ouvert les salles, aménagées par Italo Rota, consacrées au XVIIIᵉ et au XIXᵉ siècle dans l'aile est et dans l'aile sud : ainsi le visiteur peut-il, tout autour de la cour Carrée, parcourir un circuit complet illustrant l'histoire de la peinture française. Les tableaux de grand format du XIXᵉ siècle restent, eux, dans les admirables salles du premier étage, Daru, Denon et Mollien. La programmation du Grand Louvre a permis d'amplifier encore ce programme en permettant l'accès au circuit de peinture française par l'escalier mécanique monumental aménagé par I. M. Pei dans l'aile Richelieu, à l'est du pavillon du même nom. Ainsi de nouvelles salles, inaugurées en novembre 1993, permettent-elles de faire bénéficier les primitifs et le XVIᵉ siècle d'une présentation nouvelle et d'amplifier considérablement les espaces consacrés au XVIIᵉ siècle.

Toute la vision de la peinture française, au terme de ces travaux, se trouve considérablement modifiée grâce à l'exposition plus complète de nos richesses, notamment à la présentation des grands formats. L'enjeu est d'importance, car l'image que l'on se fait de notre peinture tient pour beaucoup à ce qu'en montre le Louvre. Voici cette image aujourd'hui, représentative de ses aspects les plus divers et, sinon définitive, plus juste et complète qu'en aucun autre musée.

Les primitifs et le XVIᵉ siècle

Il fallut attendre la grande exposition de 1904, consacrée aux « primitifs français », pour que le public découvre l'importance et l'originalité des peintres français antérieurs au XVIᵉ siècle : jusqu'alors l'accent était mis sur les écoles italiennes, flamandes et allemandes des XIVᵉ et XVᵉ siècles au détriment de l'école française, dont on attribuait souvent les œuvres à des écoles étrangères. Le musée Napoléon expose Van Eyck et l'Angelico, mais ne montre ni Fouquet ni Quarton. La constitution des collections du Louvre reflète cet état de fait : les peintres français du Moyen Age sont, dans l'histoire du goût, des nouveaux venus.

Il faut pourtant noter que quelques tableaux de première importance entrent dans les collections nationales sous le règne de Louis-Philippe ; ils furent acquis pour le château de Versailles, où le roi des Français constituait, dédié « à toutes les gloires de la France », le musée historique qui existe toujours, et c'est pour des raisons documentaires que des œuvres aujourd'hui illustres, le *Charles VII* et le *Jouvenel des Ursins* de Fouquet et le *Pierre de Bourbon* de Jean Hey, furent alors acquises. Seuls les modèles intéressaient, et le *Charles VII* fut acheté comme « ouvrage grec » (byzantin) ! C'est plus tard seulement que ces tableaux gagnèrent le Louvre, promus au rang d'œuvres d'art.

Dès la seconde moitié du XIXᵉ siècle, les conservateurs commencent à se passionner pour la découverte des premiers maîtres de la peinture nationale. Ils achètent, ou reçoivent en dons des collectionneurs, des œuvres qui sont aujourd'hui parmi les plus importantes du Louvre : on acquiert *Le Parement de Narbonne* dès 1852, Frédéric Reiset offre le *Retable de saint Denis* de Bellechose en 1863, *La Grande Pietà ronde* de Malouel est achetée l'année suivante. L'année 1904 marque une prise de conscience, avec l'entrée au Louvre du *Retable de Boulbon*, du *Retable du parlement de Paris* et de *Une donatrice présentée par sainte Madeleine* de Jean Hey ; l'année suivante, chef-d'œuvre entre les chefs-d'œuvre, la *Pietà de Villeneuve-lès-Avignon* est donnée par la Société des amis du Louvre. Ensuite, les acquisitions deviendront plus épisodiques ; notons en 1925 le portrait de *Jean le Bon*, remis par la Bibliothèque nationale. Deux rarissimes petits tableaux, une *Vierge* bourguignonne et le *Dauphin Charles-Orlant* de Jean Hey, feront partie de la donation Beistegui en 1942. On doit souligner l'extrême rareté des primitifs français, conséquence de destructions fanatiques, conséquence surtout de la prise de conscience tardive des historiens. Aucun musée, hormis le Louvre, n'en peut montrer un ensemble cohérent, et il faut se réjouir de l'acquisition de nouveaux tableaux qui enrichissent encore ses collections, comme le *Calvaire avec un moine chartreux* de Jean de Beaumetz et la *Présentation de la Vierge au Temple* de Nicolas Dipre, œuvres d'artistes absents jusqu'alors du Louvre, ou le *Calvaire* de Josse Lieferinxe, représenté auparavant par une œuvre secondaire. Récemment, de nouvelles œuvres de Nicolas Dipre et de Lieferinxe, un précieux fragment attribué à Barthélemy d'Eyck, un *Christ en croix* sont encore venus compléter un ensemble sans rival.

Jean Hey,
dit le
Maître
de Moulins
Actif dans le centre
de la France
entre 1480 et 1500
*Une donatrice
présentée par
sainte Madeleine,*
vers 1490
Bois. 0,56 x 0,40
Acquis en 1904

La constitution des collections de peinture française du XVIe siècle est, elle aussi, relativement récente. Le portrait de *François Ier* attribué à Jean Clouet, qui fait partie des collections nationales depuis qu'il fut peint pour son royal modèle, constitue une glorieuse exception. Les collections de la Couronne durent contenir de nombreux portraits : l'inventaire Bailly, en 1710, nous apprend l'existence de « 251 petits portraits de famille des anciens Roys et de grands seigneurs ». Reste au Louvre un petit *Henri II* en pied, copie d'atelier du tableau conservé au musée des Offices à Florence. Il faut mentionner ici la passionnante figure de Roger de Gaignières, qui réunit un énorme ensemble d'œuvres de tous ordres, principalement de gravures et de dessins, à des fins de documentation historique ; à sa mort, en 1716, elles passèrent dans le cabinet du roi, ancêtre de notre Bibliothèque nationale. Gaignières semble avoir collectionné avec prédilection les petits portraits du XVIe siècle et le Louvre lui doit plusieurs tableautins de ce type. Certains, passés pendant la Révolution au musée des Monuments français d'Alexandre Lenoir, entrèrent au Louvre en 1817 ; d'autres furent acquis plus tard. La Société des amis du Louvre offrit en 1908 le capital *Pierre Quthe* de François Clouet. Mentionnons, pour rester dans le domaine des portraits, divers dons ou achats, certains récents, de portraits de Corneille de Lyon, parmi lesquels le portrait de *Pierre Aymeric,* l'une de ses seules œuvres documentées, acquis en 1976, et l'achat en 1967 du *Portrait d'un couple* datant des premières années du XVIIe siècle. Ainsi le Louvre peut-il montrer une collection importante de ces portraits dont l'acuité, la sobriété et le souci psychologique constituent, à partir d'éléments nordiques, les caractéristiques propres du portrait français qui se développeront au cours des siècles suivants.

Le goût pour les œuvres maniéristes est plus nouveau encore. On sait que la venue d'artistes italiens en France détermina un changement complet du style et que s'imposa à la cour une peinture charmeuse et décorative, faisant appel le plus souvent aux thèmes mythologiques. Difficile à délimiter, l'école de Fontainebleau ne fait l'objet d'études que depuis peu et sa représentation au Louvre est récente. Seule la célèbre *Diane chasseresse* fut acquise sous Louis-Philippe, en 1840, mais pour être exposée à Fontainebleau parce qu'on pensait, avec raison probablement d'ailleurs, qu'elle avait les traits de Diane de Poitiers. A d'autres exceptions près — l'*Adoration des bergers* de Jean de Gourmont venue de la chapelle du château d'Écouen, les Toussaint Dubreuil provenant du château Neuf de Saint-Germain-en-Laye, *Le Jugement dernier* de Cousin le Fils, longtemps célèbre, saisi au couvent des Minimes de Vincennes — les collections d'œuvres maniéristes ont été constituées au Louvre au cours des soixante dernières années. Notons l'*Eva Prima Pandora* de Cousin le Père, offerte en 1922 par la Société des amis du Louvre, le fort populaire *Gabrielle d'Estrées et une de ses sœurs au bain* acquis en 1937 et *La Sybille de Tibur* de Caron donnée par Gustave Lebel en 1958. Un effort particulier a été entrepris pour compléter un ensemble qui puisse évoquer les aspects les plus variés de l'art bellifontain : mentionnons l'achat d'œuvres de première importance comme *La Charité* de l'école de Fontainebleau en 1970 et *La Justice d'Othon* attribuée à Luca Penni en 1973.

École de Paris,
2ᵉ moitié du XIVᵉ siècle
*Le Parement de
Narbonne,* vers 1375
Encre noire sur soie.
0,775 x 2,860
Acquis en 1852

École de Paris,
2ᵉ moitié du XIVᵉ siècle
*Jean II le Bon, roi de
France,* vers 1360
Bois. 0,598 x 0,446
Dépôt de la Bibliothèque
nationale, 1925

Jean Malouel
Nimègue, avant 1370 –
Dijon, 1415
Pietà,
dite *La Grande Pietà ronde,*
vers 1400
Bois. Diamètre 0,645
Acquis en 1864

Jean de Beaumetz
Artois, connu à partir
de 1361 – Dijon, 1396
*Calvaire avec un moine
chartreux,*
entre 1389 et 1395
Bois. 0,600 x 0,485
Acquis en 1967

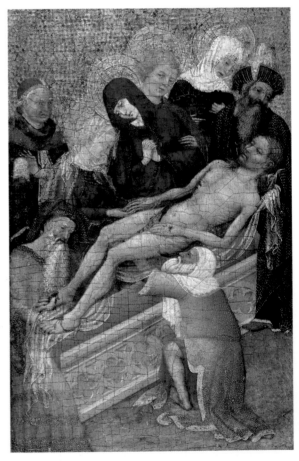

École de Paris
ou de Bourgogne,
début du XVe siècle
Mise au tombeau,
vers 1400
Bois. 0,328 x 0,213
Acquis en 1869

Henri Bellechose
Brabant, connu à Dijon
en 1415 – Dijon,
1440/44
Retable de saint Denis,
terminé en 1416
Bois transposé sur toile.
1,62 x 2,11
Don Frédéric Reiset, 1863

Jean de Beaumetz, Jean Malouel et Henri Bellechose furent
successivement, à Dijon, les peintres en titre des ducs de
Bourgogne Philippe le Hardi et Jean sans Peur. Le Louvre
possède le privilège de conserver un tableau de chacun
d'eux. Le raffinement du graphisme curviligne, la fraîcheur
du coloris rehaussée par l'éclat de l'or s'allient dans leurs
œuvres aux recherches d'expression du pathétique.

Jean Fouquet
Tours, vers 1420 –
Tours, 1477/81
Charles VII, roi de France,
vers 1445 (?)
Bois. 0,857 x 0,706
Acquis en 1838

Peintre flamand à Paris,
milieu du XVᵉ siècle
*Retable du parlement
de Paris,*
sans doute commandé
en 1452
Bois. 2,265 x 2,70
Saisi à la Révolution ;
remis au Louvre en 1904

Jean Hey,
dit le Maître de Moulins
Actif dans le centre
de la France
entre 1480 et 1500
*Charles-Orlant, dauphin
de France*, 1494
Bois. 0,285 x 0,235
Donation Carlos de Beistegui, 1942

Jean Fouquet
Tours, vers 1420 –
Tours, 1477/81
Guillaume Jouvenel des Ursins,
chancelier de France,
vers 1460
Bois. 0,930 x 0,732
Acquis en 1835

Peintre provençal,
milieu du XVᵉ siècle
*Retable de Boulbon
(le Christ de douleur,
saint Agricol et un
donateur),*
vers 1460
Bois transposé sur toile.
1,720 x 2,278
Don du Comité de l'exposition
des primitifs français, 1904

Enguerrand Quarton
Actif en Provence
entre 1444 et 1466
*Pietà de Villeneuve-
lès-Avignon,*
vers 1455 (?)
Bois. 1,630 x 2,185
Don de la Société
des amis du Louvre, 1905

Josse Lieferinxe,
dit autrefois le Maître
de Saint-Sébastien
Hainaut, actif en
Provence entre 1493 et
1505/08
Le Calvaire,
vers 1500/05 (?)
Bois. 1,70 x 1,26
Acquis en 1962

Nicolas Dipre
Connu à Avignon
à partir de 1495 –
Avignon, 1532
La Nativité de la Vierge,
vers 1500
Toile. 0,297 x 0,508
Don de la Société des amis du
Louvre, 1986

Nicolas Dipre
Connu à Avignon à partir de 1495 – Avignon, 1532
Présentation de la Vierge au Temple,
vers 1500
Bois. 0,317 x 0,500
Don Pierre Landry, 1972

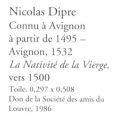

Attribué à Jean Clouet
(?), 1495/90 – (?), 1540/41
François I, roi de France,*
vers 1530 (?)
Bois. 0,96 x 0,74
Collection de François I*

Jean Cousin le Père
Sens, vers 1490 –
Paris, vers 1560
Eva Prima Pandora,
vers 1550 (?)
Bois. 0,975 x 1,500
Don de la Société
des amis du Louvre, 1922

École de Fontainebleau,
milieu du XVIᵉ siècle
La Charité,
vers 1560 (?)
Toile. 1,470 x 0,965
Acquis en 1970

École de Fontainebleau,
milieu du XVIᵉ siècle
Diane chasseresse,
vers 1550
Toile. 1,91 x 1,32
Acquis en 1840

Jean de Gourmont
Carquebut, vers 1483 –
(?), après 1551
Adoration des bergers,
vers 1525 (?)
Bois. 0,935 x 1,155
Provient de la chapelle
du château d'Écouen

La fantaisie capricieuse d'une architecture de rêve, inspirée
par l'Antiquité romaine et dont on ne sait si elle est en
construction ou à demi-ruinée, compte ici davantage que le
sujet religieux ; Gourmont, actif à Paris puis à Lyon, est
l'auteur de gravures où il utilise souvent ces recherches de
virtuose de la perspective qui multiplient les points de vue
les plus étranges.

François Clouet
(?) – Paris, 1572
Pierre Quthe, apothicaire, 1562
Bois. 0,91 x 0,70
Don de la Société
des amis du Louvre, 1908

Corneille de Lyon
La Haye, vers 1500 –
Lyon (?), vers 1575
Jean de Bourbon-Vendôme,
vers 1550 (?)
Bois. 0,190 x 0,155
Acquis en 1883

François Clouet
(?) – Paris, 1572
Élisabeth d'Autriche,
reine de France,
1571 (?)
Bois. 0,36 x 0,26
Collection de Louis XV ;
entré en 1817

Peintre français,
2ᵉ moitié du XVIᵉ siècle
Portrait d'un flûtiste borgne,
1566
Bois. 0,62 x 0,50
Don Percy Moore Turner, 1948

Corneille de Lyon
La Haye, vers 1500 –
Lyon (?), vers 1575
Pierre Aymeric, 1534
Bois. 0,165 x 0,142
Acquis en 1976

Caron, peintre de Catherine de Médicis, dont les tableaux
se font, semble-t-il, souvent l'écho des fêtes de la cour,
montre ici l'empereur Auguste agenouillé devant la Sibylle
qui désigne la Vierge apparaissant avec l'Enfant dans le ciel.
Le cadre architectural, qui évoque par son irréalité un décor
de théâtre, présente à droite la Seine et certains monuments
parisiens métamorphosés par la fantaisie de l'artiste.

Antoine Caron
Beauvais, 1521 –
Paris, 1599
La Sibylle de Tibur,
vers 1575/80
Toile. 1,25 x 1,70
Don Gustave Lebel, 1938

Peintre français,
premières années
du XVIIᵉ siècle
Portrait d'un couple,
vers 1610 (?)
Bois. 0,73 x 0,96
Acquis en 1967

Toussaint Dubreuil
Paris, vers 1561 –
Paris, 1602
*Hyante et Climène offrant
un sacrifice à Vénus,*
vers 1600 (?)
Toile. 1,90 x 1,40
Provient du château Neuf
de Saint-Germain-en-Laye

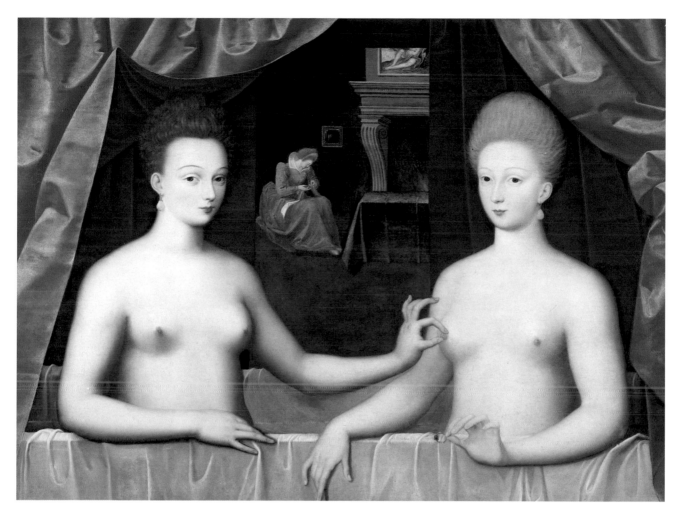

École de Fontainebleau,
fin du XVIᵉ siècle
*Gabrielle d'Estrées
et une de ses sœurs au bain,*
vers 1595 (?)
Bois. 0,96 x 1,25
Acquis en 1937

Ce double portrait a conquis une large célébrité du fait de
son sujet incongru. Il est en fait inspiré d'un célèbre portrait
de François Clouet montrant *Diane de Poitiers*, la maîtresse
de Henri II, prenant un bain, tableau qui est aujourd'hui à
la National Gallery de Washington et dont l'influence fut
immense.

Le XVIIᵉ siècle

En ce qui concerne le XVIIᵉ siècle, l'historique de la constitution des collections de peinture du Louvre illustre l'évolution du goût selon les époques, et montre la diversité avec laquelle fut considérée une période riche et complexe. Comme par strates, la collection s'est formée d'apports successifs, reflétant les prédilections des souverains puis les travaux des historiens de l'art, de Louis XIII à nos jours.

Nous devons peu de tableaux à Louis XIII. Les quelques œuvres du Louvre qui lui ont appartenu proviennent d'ensembles monumentaux : trois *Figures allégoriques* de Vouet, vestiges du décor du château Neuf de Saint-Germain-en-Laye, et deux grands Poussin de la période parisienne, *Jésus-Christ instituant l'Eucharistie*, commandé en 1640 pour la chapelle du château Vieux, à Saint-Germain également, et le plafond du *Temps enlevant la Vérité*, légué par Richelieu au roi avec le Palais-Cardinal, l'actuel Palais-Royal.

C'est Louis XIV qui, le premier, constitue, avec une ampleur et un faste sans précédent, une collection de peinture française. Cet ensemble de tableaux avidement réuni se caractérise, faut-il le dire, par un goût classique. On peut même qualifier ce goût de « romain » : une peinture sonore, contrastée et virile, volontiers épique. Il comprend en effet, seules considérées comme dignes de figurer aux côtés des chefs-d'œuvre italiens des XVIᵉ et XVIIᵉ siècles, les œuvres de trois Romains d'adoption : Poussin, Claude Lorrain et Valentin. S'y ajoutent bien sûr les tableaux des premiers peintres du roi, Le Brun puis Mignard. La collection des Poussin du Louvre, demeurée sans rivale, fut constituée par Louis XIV : trente et un de nos trente-huit Poussin lui ont appartenu. Le roi acquiert dès 1665 les célèbres Poussin du duc de Richelieu : treize toiles, parmi lesquelles *Les Quatre Saisons*, le *Diogène*, l'*Éliézer et Rébecca*, *La Peste d'Asdod*, *Le Jeune Pyrrhus sauvé*. Sept autres Poussin sont acquis au cours de la seule année 1685 ; en 1693, Le Nôtre offre au roi *La Femme adultère*, le *Saint Jean baptisant le peuple* et le *Moïse sauvé des eaux*. Dix parmi les toiles de Claude Lorrain au Louvre, d'autre part, viennent de Louis XIV, achetées pour certaines au duc de Richelieu ou données par Le Nôtre. Presque tous nos Le Brun, à l'exception de ceux qui seront saisis dans les églises pendant la Révolution, et presque tous nos Mignard proviennent aussi de la collection du Grand Roi. Ne simplifions pas trop, cependant : l'inventaire de 1710 mentionne des toiles comme *La Charité* de Blanchard, *Acis et Galathée* de Perrier, *Auguste au tombeau d'Alexandre* de Bourdon et trois Stella, dont *Sainte Anne et la Vierge* (aujourd'hui à Rouen) et *Minerve chez les Muses*.

Louis XV achète de nouveaux tableaux qui le montrent héritier du goût de son arrière-grand-père. Il acquiert l'énorme *Saint François Xavier* de Poussin à la vente des jésuites, lors de la suppression de l'ordre en 1763. Jean de Julienne, quant à lui, achète à la même occasion la *Présentation au Temple* de Vouet, qu'il donne à l'Académie royale et qui entre au Louvre à la Révolution avec les collections de l'Académie. Louis XV se

Georges
de La Tour
Vic-sur-Seille,
1593 –
Lunéville, 1652
*Saint Joseph
charpentier,*
vers 1640 (?)
Toile. 1,37 x 1,02
Don Percy Moore Turner,
1948

porte encore acquéreur, lors de la succession du prince de Carignan en 1742, de deux admirables Valentin.

En revanche, les œuvres du XVII⁰ siècle acquises par Louis XVI se révèlent fort différentes ; par opposition au goût «romain» de Louis XIV, on peut parler du goût «parisien» de Louis XVI et du comte d'Angiviller, son surintendant des Bâtiments. On aime cependant un XVII⁰ siècle délicat et mesuré, aux couleurs claires et douces, comparable, et ce n'est bien sûr pas un hasard, au premier néo-classicisme d'un Vien ou d'un Lagrenée. Non que l'on n'aime plus Poussin, mais le roi possède déjà les Poussin de son ancêtre. Un peintre fait alors une entrée en force dans les collections royales : Eustache Le Sueur. L'année 1776 voit la venue dans la collection des deux grands ensembles de l'artiste : les vingt-deux tableaux de la *Vie de saint Bruno,* peints pour la chartreuse de Paris, sont offerts au roi par les chartreux à l'instigation de d'Angiviller ; d'autre part, les deux suites décoratives en provenance de l'hôtel Lambert, dans l'île Saint-Louis, celle de la chambre des Muses et celle du cabinet de l'Amour, cette dernière associant aux tableaux de Le Sueur, des œuvres de Perrier, Patel et Mauperché, pour ne mentionner que les Français. Louis XVI achète aussi, du même Le Sueur, l'admirable portrait de groupe connu sous le nom de *Réunion d'amis* et, de La Hyre, le *Laban cherchant ses idoles.*

Les saisies révolutionnaires chez les «ci-devant» émigrés assurent l'entrée dans les collections nationales de maints tableaux qui ressortissent au même goût : deux petits La Hyre sont confisqués, précisément, chez le comte d'Angiviller, deux élégants et limpides Bourdon chez le duc de Penthièvre et chez le duc d'Orléans, deux précieux Stella dans la collection Quentin-Crawford. Mentionnons *Le Maître d'école de Faléries* de Poussin, saisi avec les autres toiles de la galerie Dorée de l'hôtel de Toulouse chez le duc de Penthièvre, et deux petits Claude Lorrain confisqués chez le duc de Brissac. Les saisies dans les églises et les couvents représenteront un apport capital : une quantité considérable de tableaux, le plus souvent de grandes dimensions, gagne ainsi les collections nationales : presque tous les Philippe de Champaigne aujourd'hui au Louvre ont une telle provenance, ainsi que maints chefs-d'œuvre de Le Sueur, Bourdon, Le Brun, La Hyre. Malgré cet afflux de richesses, on continue d'acquérir des tableaux : le gouvernement du Directoire achète en 1797 le *Portrait de l'artiste* de Poussin.

L'Empire, la Restauration ni la monarchie de Juillet n'enrichissent beaucoup la collection de peinture française du XVII⁰ siècle. Pourtant le *Portrait d'homme,* chef-d'œuvre de Champaigne peint en 1650, est acheté par Denon en 1806 ; un autre Champaigne, le *Double portrait dit de Mansart et de Perrault* sera acquis en 1835. C'est le Second Empire qui fera entrer *Apollon et Daphné,* le dernier tableau peint par Poussin, qui le laissa inachevé ; il faudra attendre 1911 pour que *L'Inspiration du poète,* le Poussin qui manquait encore, entre au Louvre.

Pendant le dernier tiers du XIX⁰ siècle et au début du XX⁰ se manifeste un nouveau changement d'optique, avec la redécouverte progressive d'un XVII⁰ siècle «réaliste» qui conduira à la remise à l'honneur des peintres de la réalité. Les œuvres du XVII⁰ siècle de la collection La Caze sont déjà réalistes : grands portraits de Champaigne, «bambochade» de Bourdon, et surtout le *Repas de paysans* de Le Nain. Entre 1869 et 1915, sept tableaux des frères Le Nain entrent au Louvre, dont *La Charrette* et *La Famille de paysans* ; c'est dans ces mêmes années que Courbet, Millet et Rousseau commencent à figurer dans les collections. Les conservateurs de notre siècle continueront d'accroître l'ensemble des Le Nain, feront entrer des natures mortes de Baugin, de Moillon, de Dupuis et constitueront, à partir de 1926 et à la faveur de la résurrection de Georges de La Tour, la plus belle collection qui soit de ses tableaux, parmi lesquels le *Saint Joseph charpentier* donné par Percy Moore Turner en 1948.

Récemment le Louvre s'est enrichi de deux toiles illustres de La Tour, *Le Tricheur* de la collection Landry et le *Saint Sébastien soigné par Irène* offert par la Société des amis du Louvre, et de deux chefs-d'œuvre des frères Le Nain, la délicieuse *Victoire* et *La Tabagie,* traditionnellement appelée *Le Corps de garde.* L'émouvant portrait du vieil *Arnauld d'Andilly* par le vieux Philippe de Champaigne est entré en 1979 grâce à une dation et, en 1980, la Société des amis du Louvre a offert le clair et lyrique Sébastien Bourdon qui manquait au Louvre, une *Scène d'histoire romaine.*

Des tableaux de La Hyre et de Patel sont entrés par dation, les esquisses de Le Sueur pour le plafond du cabinet de l'Amour de l'hôtel Lambert ont été acquises en 1988 et, l'année suivante, un tableau mythologique de Pierre Mignard. L'acquisition la plus spectaculaire de ces dernières années est celle, en 1988, à la suite d'une souscription publique, du *Saint Thomas* de Georges de La Tour.

La peinture française du XVIIe siècle est aujourd'hui somptueusement représentée au Louvre dans ses aspects les plus divers, et cette richesse est devenue encore plus manifeste depuis que sont exposées les immenses toiles de Champaigne, de Le Sueur, de Le Brun, et celles de Poussin, qui se trouvent confinées dans les réserves. Mais tant d'éclat ne doit pas aveugler : les collections souffrent de quelques lacunes. Ne manque-t-il pas au Louvre un Claude Lorrain tardif, un chef-d'œuvre de La Hyre ? Les peintures caravagesques restent peu représentées à l'exception de Valentin, malgré les apports du *Jeune chanteur,* belle réussite romaine de Vignon, acquis en 1966, et du colossal et un peu timide *Prince Marcantonio Doria,* peint par Vouet à Gênes, donné en 1979. L'ensemble des natures mortes d'un siècle qui donna dans ce domaine tant de réussites paraît encore insuffisant malgré l'entrée d'œuvres de Dupuis, Linard et Stosskopf. La figure de peintres hier méconnus se dessine mieux aujourd'hui : l'histoire de l'art s'écrit jour après jour, et personne au début de ce siècle n'avait entendu parler de Georges de La Tour. Le Louvre se doit d'être représenté de toutes les facettes de la peinture française et d'offrir, du XVIIe siècle, une image aussi complète que possible.

Claude Vignon
Tours, 1593 – Paris, 1670
Salomon et la Reine de Saba,
1624
Toile. 0,80 x 1,19
Acquis en 1933

Valentin de Boulogne
Coulommiers, 1594 –
Rome, 1632
*Concert au bas-relief
antique,*
vers 1622/25
Toile. 1,73 x 2,14
Collection de Louis XV ;
acquis en 1742

Valentin de Boulogne
Coulommiers, 1594 –
Rome, 1632
Le Jugement de Salomon,
vers 1625 (?)
Toile. 1,76 x 2,10
Collection de Louis XIV ;
acquis en 1661

L'influence du Caravage, qui révolutionna la peinture euro-
péenne dans les premières années du XVIIᵉ siècle, est évi-
dente chez Valentin, venu tôt à Rome où devait s'accomplir
toute sa courte carrière. La vigueur des formes qui jaillissent
de l'ombre n'exclut pas un climat de mystère et de poésie.
Louis XIV posséda de nombreux Valentin ; cinq d'entre eux
sont encore aujourd'hui exposés dans la chambre du roi au
château de Versailles.

Claude Vignon
Tours, 1593 –
Paris, 1670
Le Jeune Chanteur,
vers 1622/23
Toile. 0,95 x 0,90
Don de la Société
des amis du Louvre, 1966

Valentin de Boulogne
Coulommiers, 1594 –
Rome, 1632
*La Diseuse
de bonne aventure,*
vers 1628
Toile. 1,25 x 1,75
Collection de Louis XIV ;
acquis avant 1683

Nicolas Régnier
Maubeuge, 1591 –
Venise, 1667
*La Diseuse
de bonne aventure*,
vers 1625
Toile. 1,27 x 1,50
Acquis en 1816

L'entrée dans les collections du musée du
Saint Thomas, un des chefs-d'œuvre
«diurnes» de La Tour, a été l'issue d'un
large mouvement d'opinion et d'une souscription publique qui ont permis d'éviter la
sortie de France de la toile.
L'audacieuse simplification plastique s'allie
ici à une analyse psychologique d'une
finesse peu commune. Le raffinement du
coloris, sable et gris ardoise, distingue
l'œuvre des cinq autres La Tour du
Louvre, où domine la gamme des rouges.

Georges de La Tour
Vic-sur-Seille, 1593 –
Lunéville, 1652
Saint Thomas,
vers 1625/30
Toile. 0,695 x 0,615
Acquis grâce à une souscription
publique, 1988

Georges de La Tour
Vic-sur-Seille, 1593 –
Lunéville, 1652
La Madeleine à la veilleuse,
dite *Madeleine Terff,*
vers 1640/45 (?)
Toile. 1,28 x 0,94
Acquis en 1949

Découvert dans l'église de Bois-Anzeray en 1945, le *Saint Sébastien* du Louvre est presque certainement la toile offerte à la fin de l'année 1649 par la ville de Lunéville à La Ferté, gouverneur de Lorraine. Ce tableau nocturne, le plus complet et le plus ambitieux de La Tour, où, dans la gamme des tons chauds, vient résonner le bleu d'un manteau, est aussi l'une de ses dernières œuvres. Une belle copie ancienne est conservée au musée de Berlin-Dahlem.

Georges de La Tour
Vic-sur-Seille, 1593 –
Lunéville, 1652
Le Tricheur,
vers 1635 (?)
Toile. 1,07 x 1,46
Acquis en 1972

Georges de La Tour
Vic-sur-Seille, 1593 – Lunéville, 1652
Saint Sébastien soigné par Irène, 1649 (?)
Toile. 1,67 x 1,31
Don de la Société
des amis du Louvre, 1979

Simon Vouet
Paris, 1590 – Paris, 1649
Le Prince Marcantonio Doria,
1621
Toile. 1,29 x 0,95
Don anonyme, 1979

Simon Vouet
Paris, 1590 – Paris, 1649
La Richesse,
vers 1630/35
Toile. 1,70 x 1,24
Collection de Louis XIII

Nicolas Tournier
Montbéliard 1590 –
Toulouse (?), 1638/39
Le Christ en croix, la Vierge,
la Madeleine, saint Jean
et saint Vincent de Paul,
vers 1635 (?)
Toile. 4,22 x 2,92
Échangé en 1800 avec le musée
de Toulouse

Simon Vouet
Paris, 1590 – Paris, 1649
La Présentation au Temple,
1641
Toile. 3,93 x 2,50
Provient du maître-autel de l'église
de la maison professe des jésuites,
actuelle église Saint Paul-Saint
Louis, à Paris
Collection de l'Académie

Nicolas Poussin
Les Andelys, 1594 –
Rome, 1665
Portrait de l'artiste,
1650
Toile. 0,98 x 0,74
Acquis en 1797

Poussin, qui accomplit presque toute sa carrière à Rome où il peignait en isolé, voulait faire de la peinture un langage clair et qui élève l'âme du spectateur ; son œuvre est une des expressions les plus hautes du classicisme dans l'art français. Le thème de l'*Inspiration du poète* reste discuté ; il est possible que le jeune homme de droite, qui écrit sous l'inspiration d'Apollon, voit Virgile ; la femme debout, à gauche, serait Calliope, muse de la poésie épique. Cette figure, comme celle d'Apollon, constitue une référence directe à la sculpture antique. La lumière dorée témoigne encore de l'influence sur Poussin des grands Vénitiens.

Nicolas Poussin
Les Andelys, 1594 –
Rome, 1665
La Peste d'Asdod, 1630
Toile. 1,48 x 1,98
Collection de Louis XIV ;
acquis en 1665

Nicolas Poussin
Les Andelys, 1594 –
Rome, 1665
Écho et Narcisse,
vers 1628/30 (?)
Toile. 0,74 x 1,00
Collection de Louis XIV ;
acquis avant 1683

Nicolas Poussin
Les Andelys, 1594 –
Rome, 1665
L'Inspiration du poète,
vers 1630 (?)
Toile. 1,825 x 2,130
Acquis en 1911

Nicolas Poussin
Les Andelys, 1594 –
Rome, 1665
*Jésus-Christ instituant
l'Eucharistie,* 1640
Toile. 3,25 x 2,50
Peint pour la chapelle du château
de Saint-Germain-en-Laye
Collection de Louis XIII

Nicolas Poussin
Les Andelys, 1594 –
Rome, 1665
L'Hiver ou Le Déluge,
entre 1660 et 1664
Toile. 1,18 x 1,60
Partie d'une série de quatre tableaux
représentant les Saisons
Collection de Louis XIV ;
acquis en 1663

Claude Gellée,
dit le Lorrain
Chamagne, 1600 –
Rome, 1682
*Paysage avec Pâris
et Œnone,*
dit *Le Gué,*
1648
Toile. 1,19 x 1,50
Pendant d'*Ulysse et Chryséis*
Collection de Louis XIV ;
acquis en 1665

Claude Gellée,
dit le Lorrain
Chamagne, 1600 –
Rome, 1682
*Le Débarquement
de Cléopâtre à Tarse,*
1642/43
Toile. 1,19 x 1,70
Collection de Louis XIV ;
acquis en 1683

Claude Gellée,
dit le Lorrain
Chamagne, 1600 –
Rome, 1682
*Ulysse remettant Chryséis
à son père,*
1648 (?)
Toile. 1,19 x 1,50
Collection de Louis XIV ;
acquis en 1665

François Perrier
Saint-Joseph-de-Losne (?),
vers 1600 (?) – Paris, 1650
*Énée et ses compagnons
combattant les Harpies,*
vers 1646/47
Toile. 1,55 x 2,18
Provient du cabinet de l'Amour
de l'hôtel Lambert à Paris
Collection de Louis XVI ;
acquis en 1776

Laurent de La Hyre
Paris, 1606 –
Paris (?), 1656
*Laban cherchant ses idoles
dans les bagages de Jacob,*
1647
Toile. 0,95 x 1,33
Collection de Louis XVI

Jacques Blanchard
Paris, 1600 – Paris, 1638
*Vénus et les Grâces surprises
par un mortel,*
vers 1631/33
Toile. 1,70 x 2,18
Acquis en 1921

Jacques Stella
Lyon, 1596 – Paris, 1657
Minerve chez les Muses,
vers 1640/50
Toile. 1,16 x 1,62
Collection de Louis XIV

Pierre Patel,
dit le Père
Picardie, vers 1605 –
Paris, 1676
*Paysage avec des ruines
antiques,*
vers 1646/47
Toile. 0,73 x 1,50
Provient du cabinet de l'Amour
de l'hôtel Lambert à Paris
Collection de Louis XVI ;
acquis en 1776

Philippe
de Champaigne
Bruxelles, 1602 –
Paris, 1674
*Les Miracles de sainte Marie
pénitente,* 1656
Toile. 2,19 x 3,36
Peint pour l'appartement d'Anne
d'Autriche au Val-de-Grâce, Paris
Saisi à la Révolution

Le Nain
(Louis ou Antoine ?)
Laon, vers 1600/10 –
Paris, 1648
*Famille de paysans
dans un intérieur,*
vers 1640/45
Toile. 1,13 x 1,59
Acquis en 1915

Philippe
de Champaigne
Bruxelles, 1602 –
Paris, 1674
L'Ex-Voto de 1662,
1662
Toile. 1,65 x 2,29
Saisi à la Révolution

Philippe
de Champaigne
Bruxelles, 1602 –
Paris, 1674
Portrait d'homme,
1650
Toile. 0,91 x 0,72
Acquis en 1906

Philippe
de Champaigne
Bruxelles, 1602 –
Paris, 1674
*Portrait de Robert Arnaud
d'Andilly,* 1667
Toile. 0,78 x 0,64
Acquis par dation, 1979

Le Nain
(Louis ou Antoine ?)
Laon, vers 1600/10 –
Paris, 1648
La Charrette,
dit aussi *Le Retour
de la fenaison,* 1641
Toile. 0,56 x 0,76
Legs du vicomte
Philippe de Saint-Albin, 1879

Sébastien Bourdon
Montpellier, 1616 –
Paris, 1671
Les Mendiants,
vers 1635/40 (?)
Bois. 0,49 x 0,65
Collections royales

Le Nain
(Louis ou Antoine ?)
Laon, vers 1600/10 –
Paris, 1648
La Tabagie,
dit *Le Corps de garde,*
1643
Toile. 1,17 x 1,37
Acquis en 1969

Lubin Baugin
Pithiviers,
vers 1612 –
Paris, 1663
*Le Dessert
de gaufrettes,*
vers 1630/35
Bois. 0,41 x 0,52
Acquis en 1954

Pierre Dupuis
Monfort-l'Amaury, 1610 –
Paris, 1682
*Prunes et pêches
sur un entablement,*
1650
Toile. 0,51 x 0,60
Acquis par dation, 1981

Louise Moillon
Paris, 1610 – Paris, 1696
Coupe de cerises et melon,
1633
Toile. 0,48 x 0,65
Acquis par dation, 1981

Eustache Le Sueur
Paris, 1617 – Paris, 1655
Portrait de groupe,
dit *Réunion d'amis,*
vers 1640/42
Toile. 1,27 x 1,95
Collection de Louis XVI

Eustache Le Sueur
Paris, 1617 – Paris, 1655
*Saint Gervais et saint
Protais, amenés devant
Anastasius, refusent
de sacrifier à Jupiter,*
commandé en 1652
Toile. 3,57 x 6,84
Carton de tapisserie pour l'église
Saint-Gervais à Paris
Saisi à la Révolution

Le Nain (Mathieu ?)
Laon, vers 1608/10 –
Paris, 1677
Les Disciples d'Emmaüs,
vers 1645 (?)
Toile. 0,75 x 0,92
Acquis en 1950

Eustache Le Sueur
Paris, 1617 – Paris, 1655
*Trois muses : Melpomène,
Erato et Polymnie,*
vers 1652/55
Bois. 1,30 x 1,30
Provient de la chambre des Muses
de l'hôtel Lambert à Paris
Collection de Louis XVI ;
acquis en 1776

Sébastien Bourdon
Montpellier, 1616 –
Paris, 1671
*Scène d'histoire romaine
(Antoine et Cléopâtre ?),*
vers 1645
Toile. 1,45 x 1,97
Don de la Société des amis
du Louvre, 1979

Charles Le Brun
Paris, 1619 – Paris, 1690
*Le Christ mort
sur les genoux de la Vierge,*
entre 1643/45
Toile. 1,46 x 2,22
Saisi à la Révolution

Charles Le Brun
Paris, 1619 – Paris, 1690
Alexandre et Porus,
exposé au Salon de 1673
Toile. 4,70 x 12,64
Collection de Louis XIV

Charles Le Brun
Paris, 1619 – Paris, 1690
Le Chancelier Séguier,
vers 1655/57
Toile. 2,95 x 3,51
Acquis en 1942, avec le concours
de la Société des amis du Louvre

Cette effigie d'apparat, empreinte de solennité mais où chaque portrait est marqué par un souci de chaleureuse humanité, montre le chancelier Séguier dans un cortège officiel, peut-être celui d'une entrée dans une ville. La gamme colorée cuivrée et bleu ardoise, est ici particulièrement discrète et raffinée.

Pierre Mignard
Troyes, 1612 – Paris, 1695
La Vierge à la grappe,
vers 1640/50 (?)
Toile. 1,21 x 0,94
Collection de Louis XIV

Charles Le Brun
Paris, 1619 – Paris, 1690
L'Adoration des bergers,
1689
Toile. 1,51 x 2,13
Collection de Louis XIV

François Desportes
Champigneulles, 1661 –
Paris, 1743
Autoportrait en chasseur,
1699
Toile. 1,97 x 1,63
Collection de l'Académie

La fin du règne de Louis XIV
et la Régence

Il peut sembler arbitraire de réunir, dans un même chapitre, les peintres de la fin du règne de Louis XIV et ceux de la Régence. Le *Louis XIV* de Rigaud et *Le Pèlerinage de Cythère* de Watteau paraissent représenter, à eux seuls, l'un le XVIIe et l'autre le XVIIIe siècle, en raison de tout ce qu'ils comportent, d'un côté de faste et de solennité, de l'autre d'élégance fine et rêveuse. Pourtant seize années seulement séparent le premier (1701, exposé au Salon de 1704) du second (1717). On a aujourd'hui réévalué la peinture française autour de 1700, jugée longtemps sans intérêt, platement académique et courtisane. A présent que sont justement appréciés la variété pleine de sève et les efforts de renouvellement de peintres qui surent jeter un regard nouveau sur Rubens, Rembrandt et Titien, il peut se révéler intéressant, malgré l'écart des générations, de considérer ensemble La Fosse, Jouvenet, Coypel, Rigaud et Largillière, peintres du Grand Siècle, et leurs cadets Watteau et Lemoyne, l'un et l'autre disparus trop jeunes, puisque tous avouent leur dette envers la riche et souple exécution des peintres flamands et les délices du coloris des Vénitiens.

En général, les toiles décoratives commandées par Louis XIV ornent encore, ou de nouveau, les palais pour lesquels elles ont été peintes. Certains des Coypel, des La Fosse, des Desportes de la collection du roi sont aujourd'hui au Louvre. Les tableaux célébrant ses conquêtes, œuvres de Van der Meulen ou de Parrocel, qui firent bien sûr partie de la collection du monarque, se trouvent au Louvre, tout comme le portrait du roi par Rigaud, devenu le véritable symbole de la monarchie française. On sait que la toile, commandée pour être envoyée à Philippe V d'Espagne, le petit-fils de Louis XIV, plut tellement au roi qu'il décida de la garder et d'en faire exécuter une réplique pour Madrid.

Sous Louis XV la collection s'accrut d'autres toiles : Rigaud légua au roi en 1743 son ultime tableau, la si rembranesque *Présentation au Temple*. Louis XVI achètera encore des Coypel, des Van der Meulen, un Louis de Boulogne. Mais le goût de Louis XIV et du Régent semble bien démodé, et il faudra attendre la Révolution pour qu'à la faveur des saisies de nouveaux tableaux entrent dans les collections : trois petits Lemoyne confisqués chez les émigrés, et surtout la belle série des Jouvenet enlevés aux églises parisiennes. A l'époque de la Restauration on achète le *Portrait de Bossuet* de Rigaud, le *Portrait de Finot* de Jouvenet, ce dernier parce qu'on croyait qu'il représentait Fagon, le médecin de Louis XIV.

Les collections de l'ancienne Académie royale de peinture et de sculpture, entrées dans les collections nationales pendant la Révolution, comportent des morceaux de réception qui sont souvent d'illustres chefs-d'œuvre : le *Portrait de Desjardins* de Rigaud (1692, pour sa réception en 1700), le *Portrait de Le Brun* de Largillière (1686), l'*Autoportrait en chasseur* de Desportes (1699), la *Suzanne au bain* de Santerre (1704), la *Fête champêtre* de Pater (1728). Le plus important d'entre eux était bien sûr *Le Pèlerinage de*

Cythère, le tableau toujours le plus populaire de Watteau (1717), qui demeurera longtemps seul à représenter l'artiste au Louvre. Dans les collections de l'Académie se trouvaient en outre des toiles aussi importantes que le *Portrait de la mère de l'artiste* de Rigaud, légué par le peintre à l'Académie et *La Descente de croix* de Jouvenet.

Le grand événement fut en 1869 le legs La Caze. Le docteur La Caze, peintre lui-même, amateur de peintures au beau métier, vigoureusement et sensuellement exécutées, «ayant de la tatouille», comme il disait, ne pouvait qu'aimer les toiles d'une époque influencée à la fois par Titien, Rubens et Rembrandt. Son apport aux collections du Louvre est inappréciable : on reconnaît bien son goût dans le *Démocrite* d'Antoine Coypel, ou l'*Hercule et Omphale* de Lemoyne. Pour la représentation de certains peintres, la plus grande et la plus belle partie des toiles conservées aujourd'hui au Louvre est due à la générosité de La Caze. Citons Largillière avec six toiles, dont le *Portrait de famille* que l'on croyait autrefois représenter l'artiste et ses proches, Pater, et surtout Watteau. C'est grâce aux huit Watteau de La Caze, parmi lesquels le *Jugement de Pâris* et surtout le *Gilles,* qui a appartenu à Denon, que se trouve présenté au Louvre le plus poète des peintres français.

Ensuite les enrichissements sont rares : quelques Largillière donnés ou légués, deux Gillot à sujet de théâtre, achetés en 1923 et en 1945 ; deux rares Lancret tout argentés, *Le Lit de justice tenu à la majorité de Louis XV au parlement de Paris* et *La Remise de l'ordre du Saint-Esprit* achetés en 1949 ; et un petit paysage de Watteau donné en 1937. Plus récemment ont été acquis des Largillière peu communs, en 1971 un petit *Paysage,* en 1979 une ample et théâtrale *Décoration* et plus récemment un rare tableau religieux ; et surtout trois Watteau, peintre qui reste, malgré La Caze, encore mal représenté chez nous : le *Portrait d'un gentilhomme,* la *Diane au bain* et, minuscule chef-d'œuvre, *Les Deux Cousines* acquises en 1990. L'ouverture des nouvelles salles de la cour Carrée a permis de montrer plus complètement nos collections de peinture de cette époque. Les rutilantes et gigantesques compositions de Jouvenet, notamment *La Pêche miraculeuse* et *La Résurrection de Lazare,* peintes en 1706 pour l'église parisienne de Saint-Nicolas-des-Champs, qui présente un aspect trop mal connu de la peinture à l'époque de Watteau, constituent aujourd'hui une révélation.

Adam Frans Van der Meulen
Bruxelles, 1632 –
Paris, 1690
Défaite de l'armée espagnole
près du canal de Bruges,
en 1667,
vers 1670 (?)
Toile. 0,50 x 0,80
Collection de Louis XIV

Charles de La Fosse
Paris, 1636 –
Paris, 1716
Moïse sauvé des eaux,
commandé en 1701
Toile. 1,25 x 1,10
Collection de Louis XIV

Joseph Parrocel
Brignoles, 1646 –
Paris, 1704
Passage du Rhin par l'armée
de Louis XIV en 1672,
1699
Toile. 2,34 x 1,64
Collection de Louis XIV

Jean Jouvenet
Rouen, 1644 –
Paris, 1717
La Descente de croix,
1697
Tolle. 4,24 x 3,12
Collection de l'Académie

Ce tableau animé et vigoureux qui orchestre somptueusement les couleurs chaudes annonce les plus belles réussites
de l'art romantique ; la toile, peinte pour l'église des
Capucines de la place Louis-le-Grand à Paris, fut déposée à
l'Académie en 1756 et entra au Louvre à la Révolution avec
les collections de l'Académie.

Hyacinthe Rigaud
Perpignan, 1659 –
Paris, 1743
*Portrait de la mère de l'artiste
en deux attitudes différentes,*
1695
Toile. 0,83 x 1,03
Collection de l'Académie

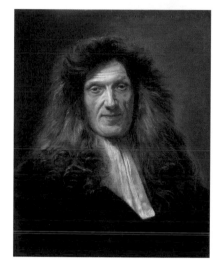

Jean Jouvenet
Rouen, 1644 –
Paris, 1717
*Le Médecin
Raymond Finot,*
exposé au Salon de 1704
Toile. 0,73 x 0,59
Acquis en 1838

Hyacinthe Rigaud
Perpignan, 1659 –
Paris, 1743
Louis XIV, roi de France,
1701
Toile. 2,77 x 1,94
Collection de Louis XIV

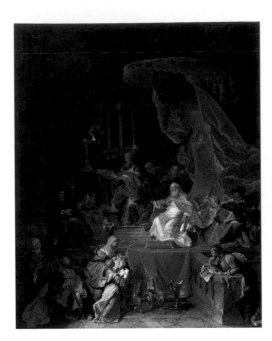

Hyacinthe Rigaud
Perpignan, 1659 –
Paris, 1743
La Présentation au Temple,
1743
Bois. 0,83 x 0,68
Collection de Louis XV

Antoine Coypel
Paris, 1661 – Paris, 1722
L'Évanouissement d'Esther,
exposé au Salon de 1704
Toile. 1,05 x 1,37
Collection de Louis XIV

Antoine Coypel
Paris, 1661 – Paris, 1722
Démocrite, 1692
Toile. 0,69 x 0,57
Legs Louis La Caze, 1869

Nicolas de Largillière
Paris, 1656 – Paris, 1746
Composition décorative,
vers 1720/30 (?)
Toile. 2,61 x 2,53
Acquis en 1979

Nicolas de Largillière
Paris, 1656 – Paris, 1746
Étude de mains,
vers 1715
Toile. 0,65 x 0,52
Dépôt du musée des Beaux-Arts
d'Alger, 1970

Nicolas de Largillière
Paris, 1656 – Paris, 1746
Portrait de famille,
vers 1710 (?)
Toile. 1,49 x 2,00
Legs Louis La Caze, 1869

Claude Gillot
Langres, 1673 –
Paris, 1722
Les Deux Carrosses,
vers 1710 (?)
Toile. 1,27 x 1,60
Acquis en 1923

Jean-Baptiste Santerre
Magny-en-Vexin, 1658 –
Paris, 1717
Suzanne au bain,
1704
Toile. 2,05 x 1,45
Collection de l'Académie

Jean Antoine Watteau
Valenciennes, 1684 –
Nogent-sur-Marne,
1721
Le Jugement de Pâris,
vers 1720 (?)
Bois. 0,47 x 0,31
Legs Louis La Caze, 1869

Morceau de réception de Watteau à l'Académie royale de
peinture et sculpture en 1717, la toile était alors appelée *Le
Pèlerinage de Cythère.* Le titre *Embarquement pour Cythère*
sous lequel elle est devenue célèbre est en fait incorrect,
puisque les pèlerins se trouvent dans l'île de Vénus et
s'apprêtent à la quitter. Ce thème s'inspire en effet des
Jardins d'amour de Rubens. La composition très aérée, en
guirlande, les couleurs claires, l'expression à la fois de bon-
heur et de nostalgie marqueront tout un aspect de l'art français du XVIIIᵉ siècle.

Jean Antoine Watteau
Valenciennes, 1684 –
Nogent-sur-Marne, 1721
Le Pèlerinage de Cythère,
1717
Toile. 1,29 x 1,94
Collection de l'Académie

Nicolas Lancret
Paris, 1690 –
Paris, 1743
L'Hiver, 1738
Toile. 0,69 x 0,89
Collection de Louis XV

Nicolas Lancret
Paris, 1690 – Paris, 1743
*Le Lit de justice tenu
à la majorité de Louis XV
au parlement de Paris
(1723),*
vers 1724 (?)
Toile. 0,560 x 0,815
Acquis en 1949

Jean Antoine Watteau
Valenciennes, 1684 –
Nogent-sur-Marne, 1721
Les Deux Cousines,
vers 1716
Toile. 0,30 x 0,36
Acquis en 1990

Jean Antoine Watteau
Valenciennes, 1684 –
Nogent-sur-Marne, 1721
Portrait d'un gentilhomme,
vers 1715/20
Toile. 1,30 x 0,97
Acquis en 1973

Jean Antoine Watteau
Valenciennes, 1684 – Nogent-sur-Marne, 1721
Gilles, vers 1718/20 (?)
Toile. 1,845 x 1,495
Legs Louis La Caze, 1869

Jean Restout
Rouen, 1692 – Paris, 1768
La Pentecôte, 1732
Toile. 4,65 x 7,78
Saisi à la Révolution puis envoyé à la cathédrale
de Lyon ; transféré au Louvre en 1944

Jean-Baptiste Pater
Valenciennes, 1695 –
Paris, 1736
Chasse chinoise, 1736
Toile. 0,55 x 0,46
Attribué par l'Office
des biens privés, 1950

François Lemoyne
Paris, 1688 – Paris, 1737
Hercule et Omphale, 1724
Toile. 1,84 x 1,49
Legs Louis La Caze, 1869

François Boucher
Paris, 1703 – Paris, 1770
Le Déjeuner, 1739
Toile. 0,815 x 0,655
Legs du docteur Achille Malécot, 1895

Le milieu du XVIIIᵉ siècle

Il est bien regrettable que Louis XV n'ait pas été collectionneur. Pendant son règne les souverains d'Europe recherchent avec avidité les toiles françaises contemporaines : Frédéric II de Prusse rassemble les Watteau, les Lancret et les Chardin qui font aujourd'hui la gloire de Charlottenburg ; sa sœur, Louise-Ulrique de Suède, bien conseillée par Tessin, son ambassadeur à Paris, achète les plus beaux Boucher et Chardin. L'impératrice de Russie, la Grande Catherine, acquiert en bloc, par l'intermédiaire de Diderot, l'admirable collection de Louis-Antoine Crozat, baron de Thiers, après sa mort en 1770 ; riche en tableaux prestigieux de toutes les époques, la collection Crozat comprenait aussi des toiles «modernes». Louis XV, lui, n'a pas un tableau de Watteau, ni une toile de Fragonard. Certes, il commande des dessus de porte : des natures mortes à Chardin, les *Attributs des Arts* et *Attributs de la Musique,* pour le château de Choisy, *Les Quatre Saisons* à Lancret, pour le château de la Muette. Il fait peindre pour le château de Fontainebleau la *Halte de chasse* par Carle Van Loo et la *Halte de grenadiers* par Charles Parrocel. Nombre de Boucher achetés sous son règne et le seul Fragonard, *Corésus et Callirhoé,* sont achetés comme des cartons de tapisserie, et non comme des tableaux de chevalet. Soyons juste : le roi achète au Salon de 1740 deux Chardin parmi les plus beaux, *La Mère laborieuse* et *Le Bénédicité,* et les grandes commandes du marquis de Marigny, surintendant des Bâtiments de 1751 à 1774, ne sont nullement négligeables : témoin la série de quinze grands tableaux représentant les *Ports de France,* commandée à Joseph Vernet en 1753 et poursuivie jusqu'en 1765, et aujourd'hui déposée, à l'exception de deux toiles demeurées au Louvre, au musée de la Marine.

Louis XVI ne semble pas avoir aimé la peinture de son époque beaucoup plus que son grand-père. Il achète pourtant des toiles de Subleyras, Carle Van Loo, Raoux : l'art le plus noble et raffiné qui soit. Il se porte acquéreur de la déjà populaire *Accordée de village* de Greuze à la vente après décès du marquis de Marigny en 1782, et fait peindre par Hubert Robert, pour Fontainebleau, les quatre grandes toiles des *Antiquités de la France.*

Les saisies révolutionnaires permettent de faire entrer dans les collections six Subleyras, réquisitionnés pour certains chez le comte d'Angiviller, le comte de Pestre Senef, le duc de Penthièvre, et plusieurs paysages de Joseph Vernet, de chez la comtesse du Barry et de chez la duchesse de Noailles, ou de chez Boutin, trésorier de la Marine. C'est aussi chez Madame du Barry qu'est confisquée, avec deux Vien, *La Cruche cassée,* jadis célèbre, de Greuze. Les collections de l'Académie procurent au Louvre des toiles capitales. Citons les morceaux de réception de Boucher, le *Renaud et Armide* de 1734 ; de Chardin, *La Raie* et *Le Buffet* ; de Tocqué, les portraits de *Galloche* et de *Lemoyne* (1734) ; de Perronneau, les portraits d'*Oudry* et d'*Adam* (1753) ; de Greuze, le *Septime Sévère* (1769).

Dans les églises et les couvents de Paris sont saisis plusieurs Restout ; et, rare exemple d'une toile française conquise à l'étranger et conservée encore au

Louvre, le vaste *Repas chez Simon* de Subleyras vient en 1799 du couvent d'Asti, près de Turin, rejoindre son esquisse, acquise douze ans plus tôt par Louis XVI. On voit que le délicat et sévère Subleyras (encore un Romain !) est l'un des rares peintres de la première moitié du siècle à se voir apprécié à l'époque néo-classique. Il faudra attendre le milieu du XIXᵉ siècle pour que l'on manifeste de l'intérêt pour les peintres du règne de Louis XV, dont on jugea longtemps l'art frivole et dévergondé. Greuze, sévère et soucieux d'enseigner la vertu, n'était pas inclus dans ce mépris, notons-le : on achète en 1820 les deux pendants de *La Malédiction paternelle, Le Fils ingrat et Le Fils puni.* Bientôt une modification du goût s'annonce ; *La Leçon de musique* de Fragonard est donnée par le député Walferdin dès 1849 ; *Les Curieuses* du même peintre font partie de la donation Sauvageot en 1856. Chardin est particulièrement aimé ; sept de ses tableaux sont achetés sous le Second Empire, avant le legs de La Caze. Mais c'est précisément l'entrée au Louvre, en 1869, de la providentielle collection La Caze qui va pratiquement constituer le noyau de nos collections de peinture française du XVIIIᵉ siècle. Ainsi possédons-nous à présent les toiles que Louis XV et Louis XVI n'ont pas su acquérir : au premier chef treize remarquables Chardin, dont *Le Bocal d'olives, La Fontaine de cuivre* et *Le Gobelet d'argent,* et neuf des plus étincelants Fragonard, dont *Les Baigneuses* et quatre *Figures de fantaisie* ; quatre Boucher et de nombreuses toiles de De Troy, Tocqué, Hubert Robert, Raoux, Nattier et Greuze. Ces tableaux admirables, que le public compta bientôt au nombre de ses favoris, ont concouru à établir la réputation d'un XVIIIᵉ siècle que l'on jugeait uniquement responsable de petits tableaux savoureux et charmants. Les toiles de La Caze, peintes pour des amateurs et rassemblées avec fièvre par un amateur, contribuèrent largement, grâce à leur brio et à leur séduction, à orienter notre vision de l'art du XVIIIᵉ siècle français, et empêchent peut-être encore aujourd'hui de mesurer les ambitions de cette période dans le domaine de la grande peinture.

Ensuite les collections s'enrichissent dans la voie tracée par La Caze : on achète les portraits des enfants Godefroy, *L'Enfant au toton* et le *Jeune homme au violon* de Chardin, devenus vite populaires en 1907 ; le docteur Malécot lègue *Le Déjeuner* de Boucher et *La Comtesse Tessin,* notre plus beau Nattier, 1895 ; Paul Bureau *Le Souffleur* de Chardin en 1915, et la baronne Nathaniel et le baron Arthur de Rothschild, plusieurs Greuze en 1899 et 1904. Le legs du baron Basile de Schlichting, en 1915, apportera des œuvres de Fragonard, Greuze, Nattier et Drouais.

Plus récemment, en 1942, la donation Carlos de Beistegui enrichit le Louvre de toiles prestigieuses : *Le Feu aux poudres,* une *Figure de fantaisie* de Fragonard, *Madame Drouais, épouse de l'artiste,* le plus raffiné des Drouais, et un grand Nattier, *La Duchesse de Chaulnes en Hébé.* En 1943, la donation Sommier apporte le prodigieux *Jeune dessinateur taillant son crayon,* blanc et turquoise, de Chardin. La donation Péreire, en 1949, offre l'un des plus beaux Vernet d'Italie, la *Vue du port de Naples,* qui sera rejointe par son pendant, une autre vue du même site, en 1976. La donation Lyon (1961) accroît encore le nombre des toiles de Robert et de Vernet.

Parmi les acquisitions récentes, il faut noter surtout l'achat en 1974 du célèbre *Verrou* de Fragonard, l'une des toiles clés de l'art tardif du peintre et, plus modestes mais précieux, l'acquisition du *Portrait de Cesare Benvenuti* de Subleyras, de *La Petite Collation* de Roland Delaporte, de *Rébecca recevant les présents d'Abraham,* une esquisse de jeunesse de Boucher et, en 1976, du *Paysage architectural* de Robert Le Lorrain. Parmi les donations, mentionnons le *Portrait de Philippe Coypel* par son frère Charles-Antoine Coypel (don de Jean et de Denise Cailleux, 1968), *Le Prêtre de la loi* et *La Sultane grecque* de Barbault (don de François Heim, 1971), *La Naissance* de Dandré-Bardon (don de Benito Pardo, 1972) et surtout l'exceptionnel *Taureau blanc* de Fragonard (don d'Éliane et de Michel David-Weill, 1976).

Grâce à une loi permettant l'acquittement des droits de succession et de mutation au moyen d'œuvres d'art, le département des Peintures s'est enrichi de trois tableaux essentiels du XVIIIe siècle français : en 1974, les portraits du philosophe *Diderot* et de *Marie-Madeleine Guimard,* la célèbre danseuse, de Fragonard et, en 1979, *Le Lièvre mort* de Chardin. Rappelons aussi la constitution systématique d'un ensemble de *Vues du Louvre* par Hubert Robert. Après un tableau offert par Maurice Fenaille en 1912, dix toiles de cet artiste ont été achetées ou données depuis 1946, vues extérieures et intérieures, fictives ou documentaires ; cette politique a été couronnée par l'achat en 1975 de deux grands tableaux du Salon de 1796, le *Projet d'aménagement de la Grande Galerie* et la *Vue imaginaire de la Grande Galerie du Louvre en ruine,* longtemps conservés dans les collections impériales russes au palais de Tsarskoïe Selo.

On se doit de mentionner au moins, parmi les acquisitions toutes récentes, *La Serinette* de Chardin, *Le Déjeuner de chasse* de J. F. de Troy, entré par dation comme *Le Songe du mendiant* de Fragonard et, aussi de ce dernier, *L'Adoration des bergers* qui est venu rejoindre *Le Verrou,* son pendant.

Un dernier mot doit concerner les pastels : on sait l'importance prise dans la production picturale française du XVIIIe siècle par les portraits « peints au pastel », comme on disait. Évoquons ici pour mémoire la collection, unique en nombre et en qualité, des pastels du Louvre, qui proviennent de la collection royale, de l'Académie, ou qui furent acquis ou donnés au fil des années. Quentin de La Tour, Perronneau et Chardin, notamment, sont représentés par des ensembles sans égal. Une sélection des plus beaux de ces pastels est présentée dans les salles de la Colonnade, au second étage de la cour Carrée.

La collection des tableaux français du XVIIIe siècle du Louvre jouit d'un prestige mérité ; elle continue de s'accroître régulièrement. Mais elle comporte encore quelques lacunes ; nous restons pauvres dans le domaine de l'esquisse, l'un des aspects les plus séduisants de la peinture de l'époque. Terminons en insistant encore une fois sur la nécessité d'exposer les grands tableaux ; ce qu'a permis de réaliser en 1992 l'ouverture des salles du second étage de la cour Carrée. On pouvait voir au début du siècle, dans une des immenses salles consacrées aujourd'hui aux toiles du XIXe, accrochés en tapisserie sur trois rangs, cadre contre cadre, pratiquement tous les tableaux du XVIIIe siècle français, les petits, les moyens, les grands ! Un tel entassement n'est plus concevable, mais il était de notre rôle d'exposer à nouveau les plus importants des grands tableaux et de montrer Subleyras, de Troy et Restout à côté de Chardin et de Fragonard.

François Boucher
Paris, 1703 – Paris, 1770
Diane sortant du bain,
1742
Toile. 0,56 x 0,73
Acquis en 1852

François Boucher
Paris, 1703 – Paris, 1770
La Forêt, 1740
Toile. 1,31 x 1,63
Attribué par l'Office
des biens privés, 1951

François Boucher
Paris, 1703 – Paris, 1770
*Vulcain présentant à Vénus
des armes pour Énée,*
1757
Toile. 3,20 x 3,20
Carton de tapisserie
pour la manufacture des Gobelins
Collection de Louis XV

Le thème des *Forges de Vulcain* fut souvent traité par
Boucher ; le Louvre possède trois autres compositions où il
traite le même sujet. Cette lumineuse toile décorative d'un
artifice charmeur fut tissée aux Gobelins dans la série des
Amours des dieux, et offre un bel exemple de la richesse
d'invention des décors de l'époque rococo.

Carle Van Loo
Nice, 1705 – Paris, 1765
Énée portant Anchise,
1729
Toile. 1,10 x 1,05
Collection de Louis XVI

Carle Van Loo
Nice, 1705 – Paris, 1765
Halte de chasse, 1737
Toile. 2,20 x 2,50
Collection de Louis XV

Jean-Baptiste Oudry
Paris, 1686 – Paris, 1755
Nature morte au faisan,
1753
Toile. 0,97 x 0,64
Attribué par l'Office
des biens privés, 1950

Jean-François de Troy
Paris, 1679 – Rome, 1752
Déjeuner de chasse, 1737
Toile. 2,41 x 1,70
Acquis par dation, 1990

Pierre Subleyras
Saint-Gilles-du-Gard,
1699 – Rome, 1749
Caron passant les ombres,
vers 1735/40 (?)
Toile. 1,35 x 0,83
Saisi à la Révolution
(collection du duc de Penthièvre)

Pierre Subleyras
Saint-Gilles, 1699 –
Rome, 1749
*Portrait présumé
de Giuseppe Baretti*,
vers 1745
Toile. 0,74 x 0,61
Don de la Fondation
Bella et André Meyer, 1981

Jean Siméon Chardin
Paris, 1699 – Paris, 1779
*Portrait du peintre Jacques
André Joseph Aved*,
dit *Le Souffleur*, 1734
Toile. 1,38 x 1,05
Legs Paul Bureau, 1915

Jean Siméon Chardin
Paris, 1699 – Paris, 1779
La Mère laborieuse,
exposé au Salon de 1740
Toile. 0,49 x 0,39
Collection de Louis XV

Pierre Subleyras
Saint-Gilles-du-Gard,
1699 – Rome, 1749
*Portrait de Cesare
Benvenuti,*
vers 1742
Toile. 1,38 x 1,01
Acquis en 1969

Pierre Subleyras
Saint Gilles-du-Gard,
1699 – Rome, 1749
Le Repas chez Simon,
1737
Toile 2,15 x 6,79
Provient du couvent d'Asti, 1799

Jean Siméon Chardin
Paris, 1699 – Paris, 1779
La Raie, 1728
Toile. 1,14 x 1,46
Collection de l'Académie

Jean Siméon Chardin
Paris, 1699 – Paris, 1779
Le Buffet, 1728
Toile. 1,94 x 1,29
Collection de l'Académie

Jean Siméon Chardin
Paris, 1699 – Paris, 1779
*Jeune dessinateur taillant
son crayon*, 1737
Toile. 0,80 x 0,65
Donation Mme Edmé Sommier,
1943, en souvenir de son père
Casimir-Perier

Jean Siméon Chardin
Paris, 1699 – Paris, 1779
Pipe et vase à boire,
dit aussi *La Tabagie,*
vers 1737
Toile. 0,32 x 0,42
Acquis en 1867

Jean Siméon Chardin
Paris, 1699 – Paris, 1779
La Fontaine de cuivre,
vers 1734
Bois. 0,285 x 0,230
Legs Louis La Caze, 1869

Roland Delaporte
Paris, 1724 – Paris, 1793
Nature morte
à la carafe d'orgeat,
dite *La Petite Collation,*
1787
Toile. 0,375 x 0,460
Acquis en 1979

Jean Siméon Chardin
Paris, 1699 – Paris, 1779
Le Bocal d'olives, 1760
Toile. 0,71 x 0,98
Legs Louis La Caze, 1869

Jean Siméon Chardin
Paris, 1699 – Paris, 1779
La Serinette,
1750-1751
Toile. 0,50 x 0,43
Acquis en 1985

Commandée pour le roi par le directeur des Bâtiments, Le Normant de Tournehem, *La Serinette,* exposée au Salon de 1751, fit partie ensuite de la collection du marquis de Marigny, le frère de la Pompadour. Le tableau, l'une des dernières scènes de genre de Chardin, montre l'artiste influencé par l'art hollandais, adoptant un langage minutieux et une lumière précieusement dosée.

Jean-Baptiste Perronneau
Paris, 1715 –
Amsterdam, 1783
Madame de Sorquainville, 1749
Toile. 1,01 x 0,81
Don D. David Weill, 1937

Jean-Marc Nattier
Paris, 1685 – Paris, 1766
La Comtesse Tessin, 1741
Toile. 0,81 x 0,65
Legs du docteur Achille Malécot,
1895

François-Hubert Drouais
Paris, 1727 – Paris, 1775
Madame Drouais,
épouse de l'artiste,
vers 1758
Toile. 0,825 x 0,62
Donation Carlos de Beistegui, 1942

Charles-Antoine Coypel
Paris, 1694 – Paris, 1752
Philippe Coypel,
frère de l'artiste,
1732
Toile. 0,75 x 0,61
Don Jean
et Denise Cailleux, 1968

Louis Tocqué
Paris, 1696 – Paris, 1772
Marie Leczinska,
reine de France, 1740
Toile. 2,77 x 1,91
Collection de Louis XV

Joseph Vernet
Avignon, 1714 –
Paris, 1789
Vue du port de Naples,
1748
Toile. 1,00 x 1,98
Donation André Péreire, 1949

Jean-Baptiste Greuze
Tournus, 1725 –
Paris, 1805
L'Accordée de village,
exposé au Salon de 1761
Toile. 0,92 x 1,17
Collection de Louis XVI,
acquis en 1782

Joseph Vernet
Avignon, 1714 –
Paris, 1789
*La Ville et la Rade
de Toulon,* 1756
Toile. 1,65 x 2,63
Collection de Louis XV

Jean-Baptiste Greuze
Tournus, 1725 –
Paris, 1805
Portrait de l'artiste,
vers 1785
Toile. 0,73 x 0,59
Acquis en 1830

Jean-Baptiste Greuze
Tournus, 1725 –
Paris, 1805
Le Fils puni, 1778
Toile. 1,30 x 1,63
Acquis en 1820

Nicolas Bernard Lépicié
Paris, 1735 – Paris, 1784
*Le Petit Dessinateur,
Carle Vernet
âgé de quatorze ans,*
1772
Toile. 0,41 x 0,33
Legs Horace Paul Delaroche, 1890

Joseph Siffred Duplessis
Carpentras, 1725 –
Versailles, 1802
*Christophe Gabriel Allegrain,
sculpteur,* 1774
Toile. 1,30 x 0,97
Collection de l'Académie

Jean-Baptiste Greuze
Tournus, 1725 –
Paris, 1805
*Portrait de Claude-Henri
Watelet,* 1763
Toile. 1,15 x 0,88
Acquis par dation, 1981

Corésus et Callirhoé valut à Fragonard d'être agréé à l'Académie royale en 1765 comme «peintre d'histoire». Il devait vite abandonner ce type de sujets et se consacrer aux tableaux aimables et souvent légers qui ont fait sa gloire. L'animation de la composition, le sens du drame, la force de l'effet lumineux sont ici dans la meilleure tradition de la peinture baroque italienne.

Jean Honoré Fragonard
Grasse, 1732 – Paris, 1806
*Le Grand Prêtre Corésus
se sacrifiant pour sauver Callirhoé,*
1765
Toile. 3,09 x 4,00
Carton de tapisserie
pour la manufacture des Gobelins (non exécuté)
Collection de Louis XV

Jean Honoré Fragonard
Grasse, 1732 – Paris, 1806
L'Adoration des bergers,
vers 1775
Toile. 0,73 x 0,93
Don de M. et Mme Roberto Polo,
1988

Jean Honoré Fragonard
Grasse, 1732 – Paris, 1806
L'Orage, 1759 (?)
Toile. 0,73 x 0,97
Legs Louis La Caze, 1869

Jean Honoré Fragonard
Grasse, 1732 – Paris, 1806
Les Baigneuses,
vers 1772/75
Toile. 0,64 x 0,80
Legs Louis La Caze, 1869

Jean Honoré Fragonard
Grasse, 1732 – Paris, 1806
Le Verrou, vers 1778
Toile. 0,73 x 0,93
Acquis en 1974

Jean Honoré Fragonard
Grasse, 1732 – Paris, 1806
*Marie-Madeleine Guimard,
danseuse,* vers 1769
Toile. 0,815 x 0,650
Acquis par dation en paiement
de droits de succession, 1974

Noël Hallé
Paris, 1711 – Paris, 1781
*La Course d'Hippomène
et d'Atalante,* 1762-1765
Toile. 3,21 x 7,12
Collection Louis XV

Hubert Robert
Paris, 1733 – Paris, 1808
*Vue imaginaire
de la Grande Galerie
du Louvre en ruine,*
exposé au Salon de 1796
Toile. 1,145 x 1,460
Acquis en 1975

Hubert Robert
Paris, 1733 – Paris, 1808
Le Pont du Gard,
exposé au Salon de 1787
Toile. 2,42 x 2,42
Collection de Louis XVI

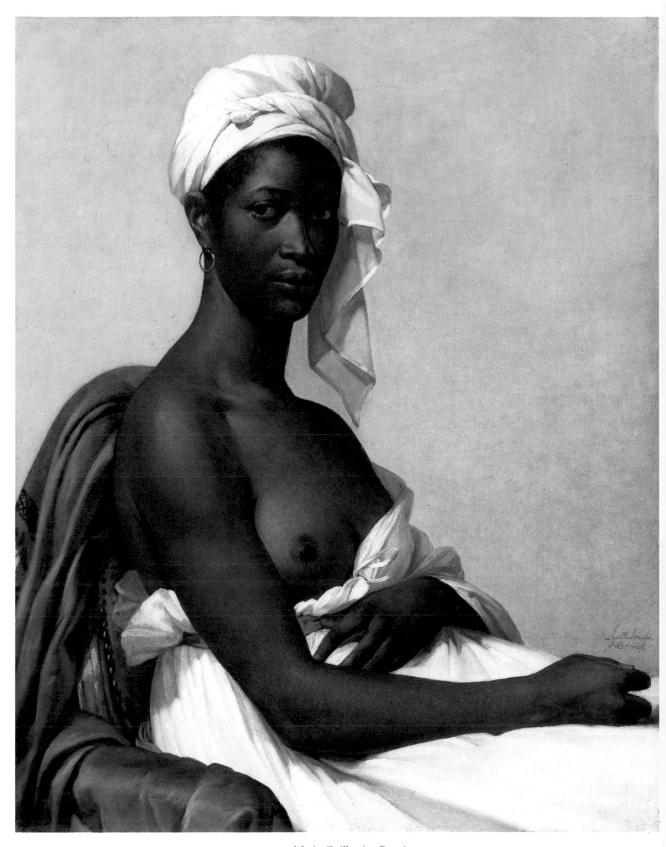

Marie-Guillemine Benoist
Paris, 1768 – Paris, 1826
Portrait d'une Négresse,
exposé au Salon de 1800
Toile. 0,81 x 0,65
Acquis en 1818

L'époque néo-classique

Pourquoi cette tranche chronologique qui, une fois encore, ne respecte pas la traditionnelle division par siècles ? La responsabilité en incombe, encore, aux historiens d'art. La peinture de cette période, qui correspond schématiquement à la fin du règne de Louis XVI et aux années de la Révolution et de l'Empire, a fait l'objet depuis peu d'une prise en considération nouvelle. L'époque dite néo-classique fut longtemps considérée comme irrémédiablement glaciale et incapable de susciter de véritables créations. Or, expositions et livres récents montrent qu'il s'agit en fait d'une époque bouillonnante, pleine de contradictions, riche en personnalités créatrices. Lorsque les peintres ont exécuté des tableaux froids, c'est parfois qu'ils en avaient décidé ainsi. Dans ce mouvement européen les peintres français, surtout David, jouent un rôle prépondérant, et aucun musée autre que le Louvre ne peut montrer dans toute son ampleur l'origine et les développements de ce courant en France.

Sous le règne de Louis XVI, l'active politique de promotion de la peinture d'histoire menée par le comte d'Angiviller, surintendant des Bâtiments, l'incite à commander et à faire acquérir par la Couronne divers grands tableaux, souvent à sujets antiques, destinés à servir pour le tissage de tapisseries : des Suvée, Peyron, Vincent, Ménageot sont aujourd'hui au Louvre. Les deux toiles de David qui firent l'effet de coups de tonnerre et révolutionnèrent, par la nouveauté de moyens plastiques et la force émotive, la peinture de l'époque, *Le Serment des Horaces* (1784) et le *Brutus* (1789), sont également achetées par la direction des Bâtiments du roi. Mentionnons aussi, chef-d'œuvre de douloureuse élégance commandé pour la chapelle du château de Fontainebleau, la *Descente de croix* de Regnault (1789).

A l'époque révolutionnaire, le gouvernement de la République achète certaines toiles commandées sous la monarchie, et les collections de l'Académie apportent des œuvres comme *Le Combat de Minerve contre Mars* de David, second prix de Rome de 1771, et *L'Éducation d'Achille* de Regnault (1782). On saisit, dans la collection d'Angiviller, *Les Funérailles de Miltiade* de Peyron et le *Portrait de l'artiste à l'antique avec sa fille* de Mme Vigée-Lebrun ; dans la collection Bernard, *Jacob et les Filles de Laban* par Gauffier ; dans celle de la duchesse de Noailles, la répétition autographe par David de son *Bélisaire*.

Sous l'Empire sont commandées les grandes toiles d'histoire contemporaine magnifiant l'épopée napoléonienne : *Le Sacre* de David, *Les Pestiférés de Jaffa* et *La Bataille d'Eylau* de Gros, ces deux derniers montrant les premiers signes de la sensibilité romantique. Mais c'est à la Restauration, qui crée en 1818 le musée du Luxembourg, consacré aux artistes contemporains vivants, que l'on doit une véritable politique d'achats, et c'est alors que sont faites presque toutes les acquisitions importantes dans le domaine de la grande peinture de l'époque néo-classique. *Le Déluge*, l'*Atala au tombeau* et *Le Sommeil d'Endymion* de Girodet sont achetés en 1818 ; les grands Guérin sont acquis entre 1817 et 1830, à l'exception de *Phèdre et Hippolyte* acheté dès le Salon de 1802 ; *Psyché et l'Amour* de Gérard est acquis en 1822 ; *La Justice et la Vengeance divine poursuivant le Crime* de Prud'hon, peint pour le palais de Justice, est cédé par la ville de Paris en 1826. On acquiert même indirectement en 1819, du régicide David, en exil à Bruxelles, *Les Sabines* et le *Léonidas aux Thermopyles*. Le comte d'Artois offre en 1823 le *Pâris et Hélène* qu'il avait commandé à David avant la Révolution, et un chef-d'œuvre inachevé, *Madame Récamier*, est acheté en 1836 lors de la vente de l'atelier de David, un an après sa mort.

C'est surtout de portraits que le Louvre s'enrichit pendant la seconde moitié du siècle ; ceux-ci seront souvent donnés ou légués par les descendants des peintres, ou bien par les modèles ou leurs familles. Deux chefs-d'œuvre de Vigée-Lebrun, un second *Portrait de l'artiste* et le portrait de *Hubert Robert*, admirable de fièvre et de tension, sont offerts par Mme Tripier Le Franc, nièce de l'auteur, en 1843 ; les époux *Pécoul* de David sont acquis l'année suivante ; en 1852, le peintre Eugène Isabey donne un admirable Gérard, le portrait de son père *Jean-Baptiste Isabey* et le *Portrait de l'artiste* de David. En 1855, Mme Mongez lègue le double portrait où David l'a représentée en buste avec son époux ; *Madame Trudaine* de David est également donné par Horace Paul Delaroche en 1890 ; *Christine Boyer*, la première femme de Lucien Bonaparte, peinte par Gros, est acquis en 1894.

Notre siècle ajoutera peu à cet exceptionnel ensemble. En 1902 sont achetées les claires effigies de *Monsieur* et *Madame Sériziat* de David. Notons aussi *Le Jeune Zéphyr* de Prud'hon dans le legs de Schlichting en 1915 ; l'exquise *Vue du jardin du Luxembourg*, le seul paysage de David, don Bernheim-Jeune en 1912, et surtout la belle collection du comte de l'Espine offerte en 1930 par la princesse de Croy, sa fille, dont l'attrait est constitué par les séries de paysages peints d'après nature par Michallon (27 œuvres) et surtout par Valenciennes (127 œuvres).

Plus près de nous entrent encore au Louvre d'admirables portraits : *Madame de Verninac, Monsieur Meyer* et le *Général Bonaparte* de David ; *Madame Lecerf* de Gérard (legs Beistegui, 1942) ; *Madame Pasteur* de Gros (don Pasteur, 1948). Le souci de représenter dans toute sa variété l'époque néo-classique a conduit récemment à quelques achats : en 1972, *Les Bergers au tombeau d'Amyntas* de Guérin, en 1974, la subtile *Nature morte à la corbeille de fleurs* du Lyonnais Berjon, et en 1976, le *Socrate et Alcibiade* de Regnault. Le *Portrait du Roi de Rome* de Prud'hon, un beau paysage romain de Granet, le portrait du jeune *Romainville Trioson* de Girodet sont tout récemment venus apporter d'autres pièces rares.

Ce souci doit demeurer constant. En dehors des maîtres glorieux qui figurent somptueusement au Louvre, nombre d'artistes attachants, certains remis en vedette depuis peu, y sont mal représentés, ou pas du tout. L'ensemble du Louvre est sans rival : c'est ce qui impose de le parfaire encore et de donner de l'époque néo-classique, jusque dans ses aspects mineurs, une représentation complète et nuancée.

Jean-Baptiste Regnault
Paris, 1754 – Paris, 1829
Descente de croix, 1789
Toile. 4,25 x 2,33
Commandé pour la chapelle
du château de Fontainebleau

Jean-François-Pierre Peyron
Aix-en-Provence, 1744 –
Paris, 1814
Les Funérailles de Miltiade,
1782
Toile. 0,98 x 1,36
Saisi à la Révolution
(collection du comte d'Angiviller)

Jacques Louis David
Paris, 1748 –
Bruxelles, 1825
Le Serment des Horaces,
1784
Toile. 3,30 x 4,25
Collection de Louis XVI

Peinte à Rome, la toile reçut un accueil enthousiaste au Salon de Paris de 1785. Comme les toiles de Caravage de Saint-Louis-des-Français, comme les *Demoiselles d'Avignon* de Picasso, *Le Serment des Horaces* représente l'un des grands tournants de l'histoire de la peinture : le sobre réalisme, le rigoureux dépouillement, le ton héroïque et viril serviront de modèle à toute la peinture postérieure.

Jean-Germain Drouais
Paris, 1763 – Rome, 1788
Marius à Minturnes,
1786
Toile. 2,71 x 3,65
Acquis en 1816

Jacques Louis David
Paris, 1748 –
Bruxelles, 1825
Les Sabines, 1799
Toile. 3,85 x 5,22
Acquis en 1819

David, dans le *Sacre,* évite le tumulte et la confusion que risquait de créer une foule considérable, grâce à la juste répartition des groupes et à la franchise de l'effet lumineux ; malgré la profusion de somptueux morceaux réalistes, l'ensemble revêt une calme grandeur. Le peintre a pu s'inspirer, pour sa composition, de l'exemple fameux du *Couronnement de Marie de Médicis* de la série des Rubens du Luxembourg, aujourd'hui au Louvre.

Jacques Louis David
Paris, 1748 –
Bruxelles, 1825
Le Sacre de Napoléon Ier,
le 2 décembre 1804,
1806/07
Toile. 6,21 x 9,79
Commandé par Napoléon Ier

Jacques Louis David
Paris, 1748 – Bruxelles, 1825
Portrait de l'artiste, 1794
Toile. 0,81 x 0,64
Don Eugène Isaberg, 1852

Jacques Louis David
Paris, 1748 –
Bruxelles, 1825
Madame Trudaine,
vers 1792 (?)
Toile. 1,30 x 0,98
Legs Horace Paul Delaroche, 1890

Jacques Louis David
Paris, 1748 –
Bruxelles, 1825
Madame Récamier,
1800
Toile. 1,74 x 2,44
Acquis en 1826

Antoine Berjon
Lyon, 1754 – Lyon, 1843
*Nature morte
à la corbeille de fleurs,*
1814
Toile. 0,66 x 0,50
Acquis en 1974

Louis Léopold Boilly
La Bassée, 1761 –
Paris, 1845
*Réunion d'artistes
dans l'atelier d'Isabey,*
exposé au Salon de 1798
Toile. 0,715 x 1,110
Legs Biesta-Monrival, 1901

Pierre Henri
de Valenciennes
Toulouse, 1750 –
Paris, 1819
Vue de Rome au matin,
vers 1782/84
Huile sur papier marouflé sur
carton. 0,18 x 0,25
Collection du comte de l'Espine ;
don de la princesse Louis de Croy,
1930

Joseph Bidauld
Carpentras, 1758 –
Montmorency, 1846
Paysage d'Italie,
1793
Toile. 1,33 x 1,44
Acquis au Salon de 1793

Pierre Paul Prud'hon
Cluny, 1758 – Paris, 1823
L'Impératrice Joséphine,
1805
Toile. 2,44 x 1,79
Collection de Napoléon III,
attribué au Louvre, 1879

Pierre Paul Prud'hon
Cluny, 1758 –
Paris, 1823
*La Justice et la Vengeance
divine poursuivant
le Crime,* 1808
1 oile. 2,44 x 2,94
Cédé par échange
par la Ville de Paris, 1826
Commandé pour
le palais de justice de Paris

François Gérard
Rome, 1770 – Paris, 1837
Psyché et l'Amour, 1798
Toile. 1,86 x 1,32
Acquis en 1822

Pierre Paul Prud'hon
Cluny, 1758 – Paris, 1823
Vénus au bain,
vers 1810
Toile. 1,34 x 1,03
Acquis en 1932

Pierre Paul Prud'hon
Cluny, 1758 – Paris, 1823
Portrait du roi de Rome,
1811
Toile. 0,46 x 0,56
Acquis par dation, 1982

Anne-Louis Girodet
de Roucy-Trioson
Montargis, 1767 –
Paris, 1824
Le Sommeil d'Endymion,
1793
Toile. 1,98 x 2,61
Acquis en 1818

Atala, publié par Chateaubriand en 1801, inspira plusieurs peintres, séduits par l'exotisme du récit. Le ton mélancolique et tendre, comme l'importance donnée au clair-obscur, tout à l'opposé du style de David, correspondent à une sensibilité «préromantique» qui est souvent un des aspects les plus attachants de la peinture de l'époque néo-classique. Dans une veine exaltée et dramatique, *La Justice et la Vengeance divine poursuivant le Crime* de Prud'hon, avec son éclairage lunaire, montre des préoccupations voisines et tout aussi «anti-davidiennes».

Anne-Louis Girodet
de Roucy-Trioson
Montargis, 1767 –
Paris, 1824
*Portrait du jeune
Romainville-Trioson,*
1800
Toile. 0,73 x 0,59
Acquis en 1991

Anne-Louis Girodet
de Roucy-Trioson
Montargis, 1767 –
Paris, 1824
Atala au tombeau,
1808
Toile. 2,07 x 2,67
Acquis en 1818

Élisabeth Louise
Vigée-Lebrun
Paris, 1755 – Paris, 1842
Hubert Robert, peintre,
1788
Bois. 1,05 x 0,84
Don de Mme Tripier Le Franc, 1843

François Gérard
Rome, 1770 – Paris, 1837
Jean-Baptiste Isabey, peintre
en miniatures, avec sa fille,
1795
Toile. 1,945 x 1,300
Don Eugène Isabey, 1852

Pierre-Narcisse Guérin
Paris, 1774 – Rome, 1833
Énée et Didon, 1815
Toile. 2,92 x 3,90
Acquis en 1818

Pierre-Narcisse Guérin
Paris, 1774 – Rome, 1833
Le Retour de Marcus Sextus,
1799
Toile. 2,17 x 2,43
Acquis en 1830

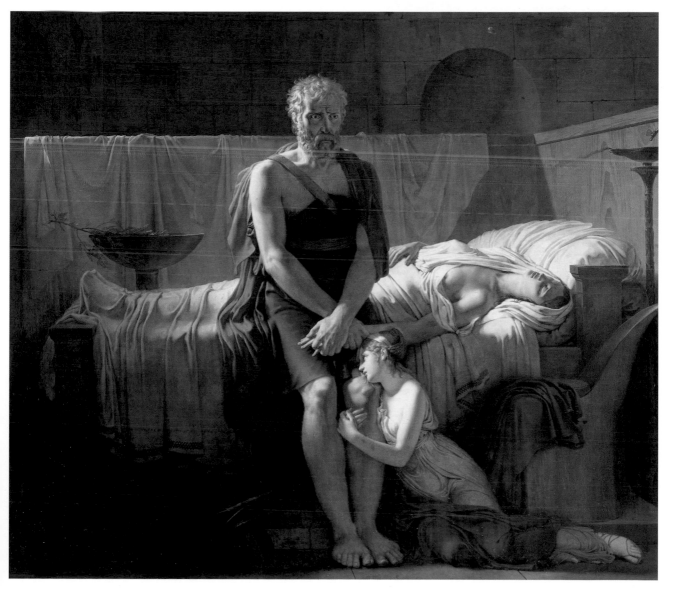

Antoine-Jean
Gros
Paris, 1771 –
Meudon, 1835
Madame Pasteur,
vers 1795/96
Toile. 0,86 x 0,67
Don Charles Pasteur,
1948

Antoine-Jean Gros
Paris, 1771 –
Meudon, 1835
Christine Boyer,
vers 1800
Toile. 2,14 x 1,34
Acquis en 1894

Antoine-Jean Gros
Paris, 1771 –
Meudon, 1835
Les Pestiférés de Jaffa (1799),
1804
Toile. 5,23 x 7,15
Commandé par l'État

Antoine-Jean Gros
Paris, 1771 –
Meudon, 1835
La Bataille d'Eylau (1807),
1808
Toile. 5,21 x 7,84
Commandé à la suite d'un concours
ouvert en 1807

Cette vaste page, pleine de chaleureux lyrisme, illustre bien
l'attrait de l'Orient né des campagnes lointaines de
Bonaparte. Le thème ressortit quelque peu à la propagande
politique, mais la puissance et la fiévreuse exaltation de
nombreux morceaux exécutés avec une simplicité souveraine, notamment les figures des malades, font des *Pestiférés*
la première grande réussite du romantisme en peinture.

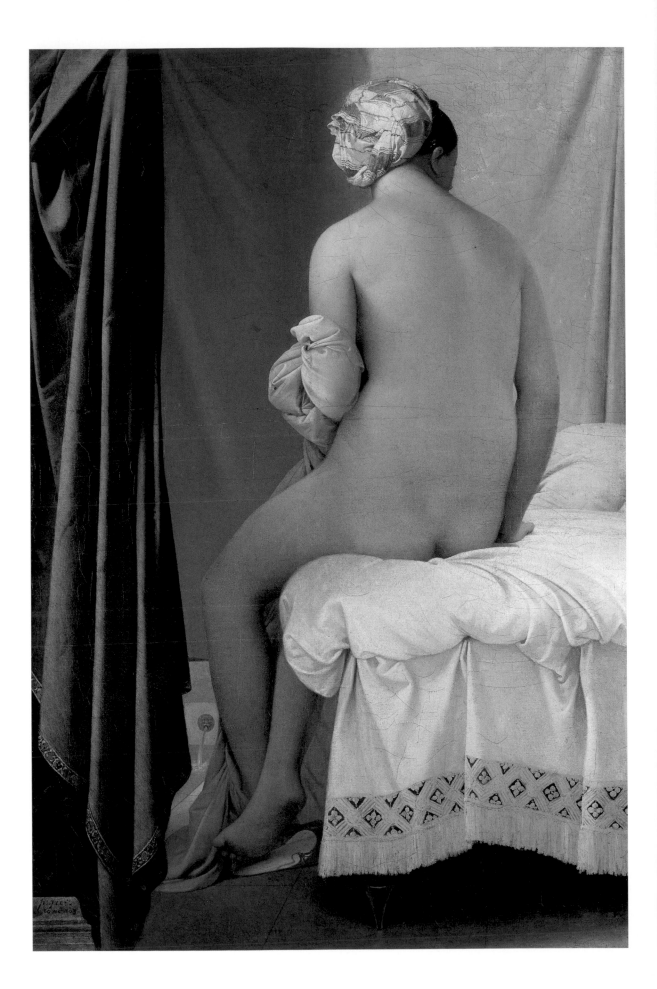

Le XIXe siècle

Au cours des règnes de Louis XVIII et de Charles X entrent dans les collections nationales quelques chefs-d'œuvre de la peinture «vivante», acquis directement au Salon : *Roger et Angélique* d'Ingres en 1819, *Dante et Virgile aux enfers* et *Les Massacres de Scio* de Delacroix en 1822 et 1824, les grands Delaroche, Devéria, Scheffer en 1828. Le choix de l'administration royale, souvent qualifié de conventionnel, n'était pas, on le voit, si mauvais. Il pouvait même se montrer courageux, comme en témoigne l'achat du scandaleux *Radeau de la Méduse* de Géricault, dont le sujet traite un dramatique fait divers largement utilisé par l'opposition pour combattre le régime en place. La toile, acquise lors de la vente posthume des œuvres du peintre en 1824 par Dedreux-Dorcy, est revendue par lui aux musées, pour la même somme, l'année suivante. A cette époque, tous les tableaux contemporains, rappelons-le, sont exposés au musée du Luxembourg, ouvert en 1818 sous le nom de Galerie royale du Luxembourg et réservé aux artistes vivants. Ils n'entreront au Louvre que plus tard.

Sous la Restauration, le Louvre ne s'enrichit pas seulement en tableaux de chevalet de peintres contemporains : une ambitieuse entreprise de décoration des nouvelles salles du musée dote alors le palais d'une quantité impressionnante de grands plafonds peints que l'on n'a peut-être pas encore à ce jour étudiés assez soigneusement. Sont alors décorées, notamment, les deux enfilades parallèles de salles, tout au long du premier étage de l'aile sud de la cour Carrée, qu'on appelle encore aujourd'hui musée Charles X, qui reçoivent les collections d'archéologie égyptienne et gréco-romaine. C'est à cette époque également que sont peints les plafonds des salles du Conseil d'État, dans l'aile ouest de la cour Carrée (actuel département des Objets d'art), et de celles attenant à l'escalier principal d'alors (actuelles salle Percier et Fontaine, et salle Duchâtel). C'est ainsi que des peintres d'histoire parfois plus consciencieux qu'inspirés, mais dont on découvre aujourd'hui l'intérêt, se trouvent représentés en permanence au Louvre par leurs œuvres les plus ambitieuses, sans qu'il soit nécessaire d'acquérir leurs tableaux ou de les tirer des réserves ! Mentionnons, par exemple, non seulement d'honnêtes imagiers comme Blondel, Picot, Alaux, M. M. Drolling ou Mauzaisse, mais de bons peintres comme Meynier, Heim, Schnetz, Abel de Pujol ou Couder, et de vrais créateurs comme Eugène Devéria, Alexandre Évariste Fragonard (le fils du grand Fragonard), L. Cogniet ou H. Vernet (le petit-fils du grand Vernet) ; sans oublier les dernières et peut-être regrettables productions du génial baron Gros, ni surtout *L'Apothéose d'Homère,* l'une des compositions les plus élaborées d'Ingres, qui sera déposée et transformée en tableau de chevalet à l'occasion de l'Exposition universelle de 1855, donc du vivant de l'auteur, et remplacée par une copie due aux frères Balze.

La grande entreprise de Louis-Philippe consiste dans la création du musée historique de Versailles. C'est à cet autre château royal que vont, désormais, les grandes commandes, confiées aux peintres contemporains. Là, on ne crée

Jean Auguste
Dominique Ingres
Montauban, 1780 –
Paris, 1867
La Baigneuse,
dite *Baigneuse
Valpinçon,*
1808
Toile. 1,46 x 0,97
Acquis en 1879

plus la décoration du musée, comme Charles X venait de le faire au Louvre, on crée en même temps le musée et les œuvres qu'il expose, avec un faste digne de Louis XIV. Que l'on songe seulement à la galerie des Batailles ! Le Louvre y gagnera en 1885 *L'Entrée des croisés à Constantinople* de Delacroix, venue des salles des croisades, inoubliable page emplie de mélancolie et de ferveur, indispensable écho aux grands Véronèse et aux grands Rubens du musée. L'achat des plus beaux Delacroix se poursuit au Salon : *Les Femmes d'Alger* en 1834, la *Noce Juive* en 1841. Le chef-d'œuvre du peintre, *La Liberté guidant le peuple,* une des pièces les plus glorieuses du Louvre, est acheté par Louis-Philippe en 1831 ; mais il ne reste exposé au Luxembourg que pendant quelques semaines, tant le gouvernement redoute la valeur exemplaire de cette toile. Le tableau, rendu à Delacroix, est de nouveau exposé pendant un court laps de temps en 1849, puis à l'Exposition universelle de 1855. Rendu de nouveau accessible au public au Luxembourg à partir de 1861, il gagnera le Louvre en 1874. Paradoxalement, Ingres le classique, le raphaélesque, se voit assez mal traité par l'État, qui achète moins volontiers ses œuvres que celles du scandaleux, du révolutionnaire Delacroix, le représentant majeur de la peinture romantique. On achète de lui néanmoins *Chérubini* (1842), on lui commande la *Vierge à l'hostie* qu'il ne terminera qu'en 1854. C'est surtout la fascinante série des vingt-cinq cartons peints entre 1842 et 1844 pour les vitraux des chapelles Saint-Ferdinand à Paris et Saint-Louis à Dreux qui constitue l'apport significatif de la monarchie de Juillet à l'ensemble des tableaux d'Ingres. *Les Romains de la décadence* de Couture, commandés par l'État, sont acquis au Salon de 1847.

La brève et généreuse République de 1848 achètera des Géricault : cinq toiles en 1849 et les sublimes et colossales images de *L'Officier de chasseurs* et du *Cuirassier blessé* à la vente de la collection de Louis-Philippe en 1851 ; elle ordonne la restauration de la galerie d'Apollon, qui est confiée à Duban. La décoration étant resté inachevée, c'est Delacroix qui, en 1850 et 1851, peint au compartiment central de la voûte l'*Apollon vainqueur du serpent Python,* prodigieux de lyrisme novateur et magnifiquement accordé aux œuvres de Le Brun et du XVIIIe siècle qui l'entourent.

La politique d'acquisition du Second Empire sera éclectique. On achète des Delaunay, Baudry, Carolus-Duran, Gérôme, Lenepveu, Meissonier, et d'autres bons représentants de l'art académique, exposés aujourd'hui au musée d'Orsay. Mais on acquiert aussi deux Corot, *La Danse des Nymphes* en 1851 et le célèbre *Souvenir de Mortefontaine* au Salon de 1864. On achète aussi quelques Chassériau, Daubigny, Decamps, Rousseau. L'*Orphée* de Gustave Moreau entre au Luxembourg en 1867. Mais les grands novateurs du mouvement réaliste n'ont pas accès au musée qui n'expose ni Millet, ni Courbet, ni Daumier, ni Troyon, ni Dupré.

Il faudra attendre la fin du siècle et la mort de ces peintres pour que soit réparée l'injustice. *La Vague* de Courbet est achetée en 1878, plusieurs chefs-d'œuvre, dont *L'Homme blessé,* sont acquis à la vente de l'atelier de l'artiste en 1881, et la même année Juliette Courbet donne l'*Enterrement à Ornans,* l'une des plus importantes toiles de son frère qui figure depuis 1986, avec les autres Courbet, au musée d'Orsay. Millet, présenté aujourd'hui comme Courbet au musée d'Orsay, est, lui aussi, entré relativement tard au Louvre. Des tableaux de l'artiste sont acquis à la vente posthume de ses œuvres en 1875 ; Mme Hartmann donne *Le Printemps* en 1887 et Mme Pommery *Les Glaneuses* en 1890. C'est également après la mort d'Ingres que ses œuvres maîtresses entrent au musée : les trois portraits des *Rivière,* légués par la belle-fille des modèles en 1870 ; l'*Œdipe* et *La Source,* par la comtesse Duchâtel en 1878 ; *Cordier,* par la comtesse Mortier en 1886. On achète le portrait de *Bochet* (1878), la *Baigneuse Valpinçon* (1879), l'illustre *Bertin* (1897), *La Grande Odalisque* (1899), série couronnée par le don de l'admirable *Bain turc* par la Société des amis du Louvre en 1911.

Trois grandes donations, au cours des premières années du XXᵉ siècle, permettent l'acquisition d'un ensemble considérable de tableaux, généralement de moyennes et petites dimensions, grâce auxquels Corot, Delacroix, Decamps, Millet et les paysagistes de Barbizon sont présentés au Louvre et à Orsay de façon magnifique. En 1902, Thomy Thiéry, un Anglais de l'île Maurice, d'origine française et vivant à Paris, lègue une galerie entière constituée de tableaux du XIXᵉ siècle, parmi lesquels la *Médée,* l'*Enlèvement de Rébecca* et d'autres Delacroix, de nombreux et splendides Corot, des peintres de l'école de Barbizon. Cette collection, restée groupée, est toujours exposée au Louvre, après l'ouverture du musée d'Orsay. Plus riche encore et plus variée, la collection donnée par Étienne Moreau-Nélaton en 1906 ne comprend pas moins de trente-sept Corot admirablement choisis et plusieurs chefs-d'œuvre de Delacroix, parmi lesquels la *Nature morte au homard* et la *Jeune fille au cimetière,* et une esquisse du *Radeau de la Méduse* de Géricault. En même temps, la collection Moreau-Nélaton, ouverte aux tendances de l'art contemporain le plus authentiquement créateur, donne accès au Louvre à divers Manet, dont le *Déjeuner sur l'herbe,* à une série d'exquis paysages de Claude Monet, et à des toiles de Berthe Morisot, Sisley et Pissarro. L'ensemble de la collection, exposé longtemps au musée des Arts décoratifs, n'entrera en fait au Louvre qu'en 1934 ; ses tableaux impressionnistes, après avoir été montrés au musée du Jeu de paume, sont maintenant présentés au musée d'Orsay. La troisième donation (1909), exposée aujourd'hui dans son ensemble au musée d'Orsay, est celle faite par Alfred Chauchard d'un bel ensemble, acquis le plus souvent à grand prix, d'œuvres de Corot, Delacroix, Millet, Diaz, Decamps, Dupré, Daubigny et Meissonier, notamment ; la somme de 800 000 F que Chauchard versa en 1889 en contrepartie de l'*Angélus* de Millet, tableau de renommée nationale, frappa beaucoup ses contemporains. Il faut mentionner aussi le legs Camondo, en 1911, auquel on doit, outre d'admirables impressionnistes, des Delacroix et des Corot.

Après la Première Guerre mondiale, on note quelques acquisitions spectaculaires, en particulier *L'Atelier* de Courbet, son chef-d'œuvre (aujourd'hui exposé, avec les autres Courbet, au musé d'Orsay), acquis en 1920 grâce à une souscription publique et avec l'aide de la Société des amis du Louvre, et la *Mort de Sardanapale* de Delacroix, l'une des pages les plus exaltées de la peinture romantique, acquis l'année suivante. La générosité des collectionneurs, des descendants d'un grand artiste soucieux que son œuvre soit bien représentée au Louvre, ou des amateurs ne s'est jusqu'à présent jamais démentie. Citons avant tout l'admirable don (1918) puis le legs (1933-1934) faits par le baron Arthur Chassériau de quarante-trois peintures de son oncle, qui illustrent tous les aspects du génie de l'artiste. A la même époque, entre 1926 et 1932, l'action conjuguée de la Société des amis du Louvre et de la Société Chassériau assure la sauvegarde des peintures endommagées de l'escalier de la Cour des comptes brûlée en 1871, et permet leur entrée au Louvre.

En ce qui concerne les acquisitions récentes, les générosités privées ont été d'une grande importance : notons le *Bartolini* et *Madame Panckoucke* d'Ingres, donnés en 1942 avec deux petits Meissonier, dont *La Barricade,* par Carlos de Beistegui ; des Corot et deux splendides Delacroix et Daumier offerts par la baronne Gourgaud en 1965 ; des Daubigny, Troyon, Corot et Millet remis par James N. B. Hill en 1962 ou légués par lui en 1978, et les portraits de *Pierre-Joseph Proudhon* et de *Madame Proudhon* par Courbet, donnés par les petites-filles des modèles en 1958. Deux autres beaux Courbet, *La Truite* et le *Nu au chien,* sont entrés récemment par dation (1978 et 1979) et sont aujourd'hui, comme les autres Courbet, présentés au musée d'Orsay. Le legs Beurdeley, en 1979, a apporté à l'ensemble éclatant des Delacroix le paysage qui manquait encore, *La Mer vue des hauteurs de Dieppe,* qui semble un Claude Monet rêvé par Titien.

Il est difficile, dans la mesure où les terres immenses de la peinture du XIXe siècle offrent bien des rivages mal explorés, de se faire une idée juste de ce que le musée doit montrer pour en présenter un reflet fidèle. Les collections du Louvre privilégient, bien sûr, les grands maîtres et traduisent souvent le goût des collectionneurs de l'extrême fin du siècle ; elles doivent être enrichies et complétées dans bien des domaines.

La création du musée d'Orsay, consacré à l'art de la seconde moitié du XIXe siècle, a modifié fondamentalement l'équilibre des collections de peinture française du XIXe siècle au Louvre. Courbet, Millet, Daumier, les paysagistes de Barbizon ont traversé la Seine, avec Puvis de Chavannes, Moreau, Couture, Meissonier et les peintres dits académiques. Quelques toiles de la fin des carrières d'Ingres, de Delacroix, de Chassériau et de Corot, indispensables à l'évocation de la peinture sous le Second Empire, ont été déposées par le Louvre à Orsay. Mais les chefs-d'œuvre de ces artistes, même tardifs, sont restés dans le vieux palais afin que la totalité de leur carrière y soit retracée : ainsi *Le Bain turc* d'Ingres, les peintures de la Cour des comptes de Chassériau, *La Femme en bleu* et *Le Beffroi de Douai* de Corot sont bien sûr demeurés au Louvre. L'essentiel des toiles de la première moitié du siècle reste ainsi confronté, au Louvre, aux œuvres majeures des siècles passés. L'ouverture du musée d'Orsay donne l'occasion de jeter un œil nouveau sur la peinture du second quart du XIXe siècle et invite à enrichir les collections du musée dans ce domaine ; l'entrée récente au Louvre de toiles de Chassériau, de Flandrin, de Dubufe, d'Alexandre Évariste Fragonard, de Hesse, s'inscrit dans une telle politique.

Jean Auguste Dominique
Ingres
Montauban, 1780 –
Paris, 1867
Mademoiselle Rivière,
exposé au Salon de 1806
Toile. 1,00 x 0,70
Legs de Mme Veuve Rivière, 1870

Jean Auguste
Dominique Ingres
Montauban, 1780
Paris, 1867
La Grande Odalisque,
1814
Toile. 0,91 x 1,62
Acquis en 1899

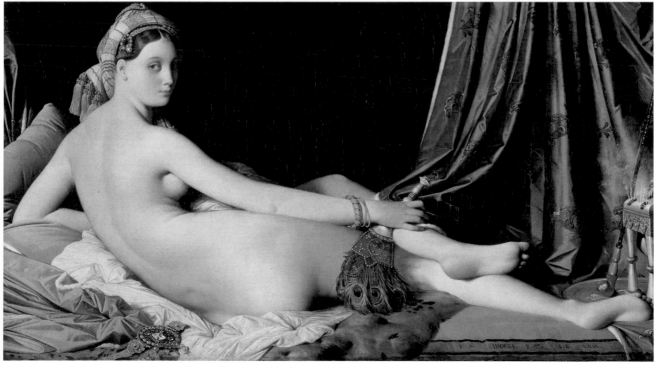

Jean Auguste
Dominique Ingres
Montauban, 1780 –
Paris, 1867
L'Épée de Henri IV,
1832
Toile. 0,36 x 0,28
Acquis avec la participation
de la Société des amis du Louvre, 1981

Jean Auguste
Dominique Ingres
Montauban, 1780 –
Paris, 1867
L'Apothéose d'Homère,
1827
Toile. 3,86 x 5,12
Ancien plafond de la salle Clarac
au Louvre, commandé en 1826

Jean Auguste
Dominique Ingres
Montauban, 1780 –
Paris, 1867
Le Bain turc, 1862
Toile sur bois. Diamètre 1,08
Don de la Société
des amis du Louvre, 1911

Résumé et ultime aboutissement des variations sur le thème
du nu féminin qu'Ingres mena tout au long de sa carrière,
Le Bain turc témoigne, comme *La Grande Odalisque,* de la
fascination, que l'Orient exerça sur la peinture du XIXᵉ
siècle. La *Baigneuse Valpinçon* est une œuvre de jeunesse,
exécutée alors qu'Ingres était pensionnaire de la villa
Médicis : il devait reprendre ensuite plusieurs fois ce nu de
dos, notamment cinquante-quatre ans plus tard dans *Le
Bain turc.*

Jean Auguste
Dominique Ingres
Montauban, 1780 –
Paris, 1867
Monsieur Bertin,
1832
Toile. 1,16 x 0,95
Acquis en 1897

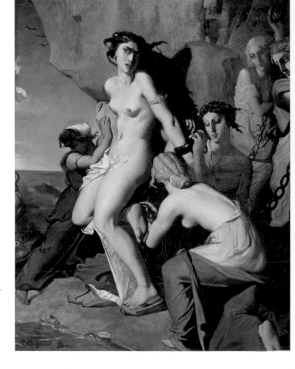

Théodore Chassériau
Sainte-Barbe-de-Samana, 1819 –
Paris, 1856
Andromède et les Néréides,
1840
Toile. 0,92 x 0,74
Acquis en 1986

Marius Granet
Aix-en-Provence, 1775 –
Aix-en-Provence, 1849
*La Trinité-des-Monts
et la Villa Médicis
à Rome,* 1808
Toile. 0,48 x 0,61
Don anonyme, 1981

Théodore Chassériau
Sainte-Barbe-de-Samana, 1819
Paris, 1856
La Toilette d'Esther, 1841
Toile. 0,455 x 0,355
Legs du baron Arthur Chassériau, 1934

Théodore Chassériau
Sainte-Barbe-de-Samana, 1819
Paris, 1856
*Les Deux Sœurs
(les sœurs de l'artiste),*
1843
Toile. 1,80 x 1,35
Don du baron et la baronne
Arthur Chassériau, 1918

Théodore Chassériau
Sainte-Barbe-de-Samana, 1819
Paris, 1856
La Paix,
entre 1844 et 1848
Toile. 3,40 x 3,62
Don du Comité Chassériau, 1903
Fragment de la décoration
de l'ancienne Cour des comptes

Théodore Géricault
Rouen, 1791 – Paris, 1824
Le Cuirassier blessé,
exposé au Salon de 1814
Toile. 3,58 x 2,94
Acquis en 1851

La toile obtient un succès de scandale au Salon de 1819 ;
elle rappelait le naufrage de la frégate la *Méduse,* en 1816, et
la honteuse incapacité de son capitaine qui entraîna la mort
de la plupart de ses passagers, hormis quelques-uns parmi
ceux qui furent entassés sur un radeau. Géricault peignit de
nombreuses études d'après des mourants dans les hôpitaux
avant de réaliser cette toile sublime, l'une des plus hautes
expressions jamais données de la souffrance humaine.

Théodore Géricault
Rouen, 1791 – Paris, 1824
Le Radeau de la Méduse,
exposé au Salon de 1819
Toile. 4,91 x 7,16
Acquis en 1824

Théodore Géricault
Rouen, 1791 – Paris, 1824
La Folle monomane du jeu,
vers 1822
Toile. 0,770 x 0,645
Don de la Société
des amis du Louvre, 1938

Théodore Géricault
Rouen, 1791 – Paris, 1824
Le Four à plâtre,
vers 1822/23
Toile. 0,50 x 0,61
Acquis en 1849

Théodore Géricault
Rouen, 1791 – Paris, 1824
Le Derby d'Epsom,
1821
Toile. 0,92 x 1,22
Acquis en 1866

Peinte en 1821, lors du séjour de Géricault à Londres, la toile trouve son inspiration dans les «sporting prints» anglaises, qui représentent fréquemment les chevaux dans l'attitude du «galop volant» choisi ici par le peintre. L'invention de la photographie permettra de représenter les attitudes correctes, en décomposant les différents mouvements du galop de l'animal, ce dont Dègas saura tenir compte dans ses propres *Champs de course.*

Eugène Delacroix
Charenton-Saint-Maurice,
1798 – Paris, 1863
Les Massacres de Scio,
1824
Toile. 4,19 x 3,54
Acquis au Salon de 1824

Spectaculaire illustration de l'enthousiasme suscité parmi la jeunesse romantique par la révolte des Grecs contre les Turcs, *Les Massacres de Scio* furent directement inspirés par la sauvage répression exercée par les Turcs en avril 1822 contre les habitants de l'île de Chio, ou Scio. Les critiques du Salon de 1824 furent sévères envers cet admirable tableau, pour lequel Delacroix s'était inspiré d'une œuvre de Constable exposée à ce même Salon, *La Charrette de foin,* reprenant dans une touche vibrante le paysage du fond.

Eugène Delacroix
Charenton-Saint-Maurice,
1798 – Paris, 1863
*La Liberté guidant le peuple
le 28 juillet 1830,*
1830
Toile. 2,60 x 3,25
Acquis au Salon de 1831

Eugène Delacroix
Charenton-Saint-Maurice,
1798 – Paris, 1863
Mort de Sardanapale,
exposé au Salon
de 1827/28
Toile. 3,92 x 4,96
Acquis en 1921

Eugène Delacroix
Charenton-Saint-Maurice,
1798 – Paris, 1863
*La Mer vue des hauteurs
de Dieppe,* 1852 (?)
Carton sur bois. 0,35 x 0,51
Legs Marcel Beurdeley, 1979

Eugène Delacroix
Charenton-Saint-Maurice,
1798 – Paris, 1863
Les Femmes d'Alger,
1834
Toile. 1,80 x 2,29
Acquis au Salon de 1834

L'un des grands chefs-d'œuvre les moins connus de Delacroix, dont le thème était imposé par sa destination. L'*Apollon vainqueur du serpent Python* démontre que le peintre s'inscrit, sans rien perdre de sa fougue et de son lyrisme, dans la lignée des grands décorateurs des XVIIe et XVIIIe siècles.

Eugène Delacroix
Charenton-Saint-Maurice,
1798 – Paris, 1863
*Apollon vainqueur
du serpent Python*,
1850/51
Peinture murale.
Environ 8,00 x 7,50
Compartiment central de la voûte
de la galerie d'Apollon au Louvre

133

Ary Scheffer
Dordrecht, 1795 – Argenteuil, 1858
Les Ombres de Francesca da Rimini et de Paolo
apparaissant à Dante et à Virgile,
1855, répétition du tableau de 1822
Toile. 1,71 x 2,39
Legs de Mme Marjolin-Scheffer, 1900

Hippolyte Flandrin
Lyon, 1809 – Paris, 1864
Jeune Homme au bord
de la mer, 1837
Toile. 0,98 x 1,24
Entré au musée du Luxembourg
en 1857

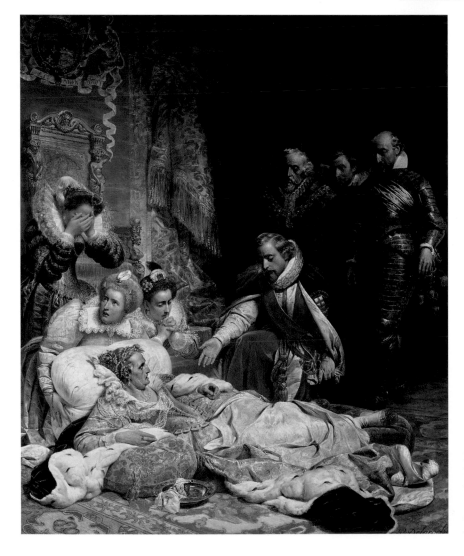

Paul Delaroche
Paris, 1797 – Paris, 1856
Mort d'Élisabeth,
reine d'Angleterre,
1828
Toile. 4,22 x 3,43
Acquis au Salon de 1827/28

Horace Vernet
Paris, 1789 – Paris, 1863
La Barrière de Clichy,
1820
Toile. 0,975 x 1,305
Entré au Luxembourg en 1837

Léopold Robert
La Chaux-de-Fonds, 1794 – Venise, 1835
Le Pèlerinage à la Madone de l'Arc, 1827
Toile. 1,42 x 2,12
Acquis au Salon de 1828

Octave Tassaert
Paris, 1800 – Paris, 1874
Intérieur d'atelier,
1845
Toile. 0,46 x 0,38
Donation Ernest May, 1923

Eugène Isabey
Paris, 1803 –
Montévrain, 1886
Plage à marée basse,
1833
Toile. 1,24 x 1,68
Acquis au Salon de 1833

Hippolyte Flandrin
Lyon, 1809 – Paris, 1864
Portrait de Madame Flandrin,
1846
Toile. 0,83 x 0,66
Don de Mme Froidevaux, 1984

Paul Delaroche
Paris, 1797 – Paris, 1856
Bonaparte franchissant les Alpes,
1848
Toile, 2,89 x 2,22
Don de M. et Mme Bickhauser, 1982

Antoine-Louis Barye
Paris, 1795 – Paris, 1875
Lions près de leur antre,
vers 1860
Toile. 0,38 x 0,49
Legs Thomy Thiéry, 1902

Alexandre Gabriel
Decamps
Paris, 1803 –
Fontainebleau, 1860
Le Singe peintre,
1833
Toile. 0,32 x 0,40
Legs Thomy Thiéry, 1902

Alexandre Gabriel
Decamps
Paris, 1803 –
Fontainebleau, 1860
La Défaite des Cimbres,
1833
Toile. 1,30 x 1,95
Legs Maurice Cottier, 1884

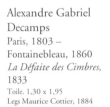

Charles-François
Daubigny
Paris, 1817 – Paris, 1878
La Vanne d'Optevoz,
1859
Toile. 0,485 x 0,730
Legs Thomy Thiéry, 1902

Théodore Rousseau
Paris, 1812 –
Barbizon, 1867
Groupe de chênes,
Apremont, 1852
Toile. 0,635 x 0,995
Legs Thomy Thiéry, 1902

Constant Troyon
Sèvres, 1810 – Paris, 1865
*Vue prise des hauteurs
de Suresnes,* 1856
Toile. 1,82 x 2,65
Legs Thomy Thiéry, 1902

Jean-Baptiste Camille Corot
Paris, 1796 – Paris, 1875
La Cathédrale de Chartres,
1830, retouché en 1872
Toile. 0,640 x 0,515
Donation Étienne Moreau-Nélaton, 1906

Corot se trouve représenté au Louvre par près de cent-cinquante tableaux, et mieux qu'en aucun autre musée. Il apporte à l'art du paysage une note irremplaçable de justesse et d'émotion, lorsqu'il évoque la lumière dorée de l'Italie ou celle, plus douce, de l'Ile-de-France ou de la Beauce.

Jean-Baptiste Camille Corot
Paris, 1796 – Paris, 1875
Volterra, le municipe, 1834
Toile. 0,705 x 0,940
Donation Étienne Moreau-Nélaton, 1906

Jean-Baptiste Camille Corot
Paris, 1796 – Paris, 1875
Portrait de Marie-Laure
Sennegon, 1831
Toile. 0,28 x 0,21
Legs F. Corot, remis par
Étienne Moreau-Nélaton, 1921

Jean-Baptiste Camille Corot
Paris, 1796 – Paris, 1875
Le Pont de Narni, 1826
Papier sur toile. 0,34 x 0,48
Donation Étienne Moreau-Nélaton, 1906

Jean-Baptiste Camille Corot
Paris, 1796 – Paris, 1875
La Femme à la perle,
vers 1869
Toile. 0,70 x 0,55
Acquis en 1902

Jean-Baptiste Camille Corot
Paris, 1796 – Paris, 1875
Souvenir de Mortefontaine,
exposé au Salon de 1864
Toile. 0,65 x 0,89
Acquis au Salon de 1864

143

Jean-Baptiste Camille Corot
Paris, 1796 – Paris, 1875
La Femme en bleu,
1874
Toile. 0,800 x 0,505
Acquis en 1912

On admire aujourd'hui à l'égal de ses paysages, et parfois plus encore, les figures féminines que Corot multiplia pour sa seule délectation, surtout vers la fin de sa carrière. L'une des dernières, et peut-être la plus belle, de ces études restées inconnues du vivant du peintre, *La Femme en bleu,* pur morceau de peinture, s'impose comme une leçon de force et de grandiose simplicité.

144

Jean-Baptiste Camille Corot
Paris, 1796 – Paris, 1875
L'Intérieur de la cathédrale de Sens,
1874
Toile. 0,61 x 0,40
Don Jacques Zoubaloff, 1919

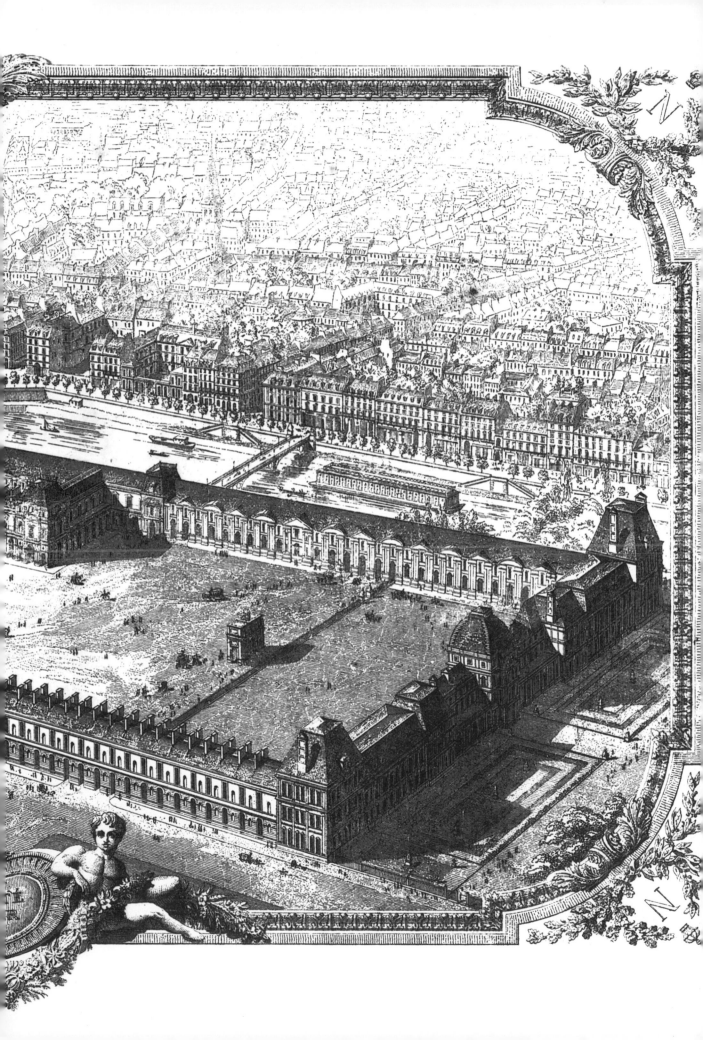

La peinture étrangère

Le salon Carré, situé à l'extrémité est de la Grande Galerie, est une des salles les plus célèbres du Louvre : depuis le début du XVIIIe siècle jusqu'au règne de Louis-Philippe, il abrita l'exposition de l'Académie royale de peinture et de sculpture, d'où le nom de « Salon » que reçurent les expositions temporaires de tableaux. Ce tableau de Castiglione montre la salle peu après 1851, date à laquelle elle fut inaugurée dans un nouvel aménagement avec un somptueux plafond de Duban et Simart. L'accrochage, très dense, proposait un choix des chefs-d'œuvre les plus illustres du Louvre, toutes écoles et tous siècles confondus, confrontant toiles françaises et toiles étrangères.

Introduction

On connaît le mot de Cézanne : « Il me semble qu'il y a tout dans le Louvre, qu'on peut tout aimer et comprendre par lui. » Parmi les grands musées du monde, il en est peu qui conservent des collections aussi variées de toutes les écoles de peinture européennes, s'étendant de la fin du XIIIᵉ au XIXᵉ siècle, illustrant les genres et les formats les plus différents — des petits tableaux de cabinet aux toiles monumentales, des fresques aux suites décoratives —, offrant des exemples d'écoles rarement représentées hors de leur pays. Une telle diversité encyclopédique, qui n'exclut pas, bien entendu, de graves lacunes ni des sections plus faibles que d'autres, tient à la longue histoire de la constitution de ce fonds — plus de quatre siècles et demi — et à sa double nature, collection princière d'abord puis musée national, le second complétant et corrigeant par les acquisitions des XIXᵉ et XXᵉ siècles, suivant l'évolution du goût et les résurrections de l'histoire de l'art, ce que la première avait ignoré ou méconnu.

A l'origine de la collection, au début du XVIᵉ siècle, on l'oublie trop, il y a un « musée d'art moderne ». Suivant l'exemple de son prédécesseur Louis XII, avec un faste qui suscitera l'émulation d'autres monarques européens, François Iᵉʳ s'adresse aux artistes vivants les plus prestigieux, qu'il fait venir d'Italie ou dont il acquiert les œuvres. Par la suite, ce recours aux artistes contemporains, français surtout, mais parfois aussi étrangers, ne cessera d'alimenter la collection royale concurremment avec les acquisitions de toiles des « vieux maîtres ».

Plus qu'un simple témoignage du goût personnel d'un prince éclairé, la réunion par François Iᵉʳ d'une collection de tableaux italiens de son temps, mise à l'honneur au château de Fontainebleau, est l'un des signes éclatants de l'introduction en France d'une nouvelle vision figurative née en Italie, au moment où la société française bascule dans ce qu'il faut bien appeler la Renaissance. François Iᵉʳ fait appel aussi à quelques peintres français et flamands (Jean Clouet, Joos Van Cleve), comme le feront Henri II et Catherine de Médicis (François Clouet), mais ce sera essentiellement, semble-t-il, pour des commandes de portraits, genre où la compétence des artistes nordiques, aptes à saisir la « ressemblance » reste reconnue. Ce qui n'empêche pas François Iᵉʳ de demander à Titien de le portraiturer.

Après Henri IV, qui a recours à des artistes français ou francisés (Ambroise Dubois) pour les décors de ses résidences, une courte mais brillante période de mécenat royal s'ouvre avec Marie de Médicis qui fait travailler l'Italien Gentileschi, les Flamands Pourbus et surtout Rubens (galerie du palais du Luxembourg, 1625), à un moment où la jeune peinture française, dont les représentants les plus prometteurs (Vouet, Poussin, Claude Lorrain) séjournent en Italie, ne s'est pas encore affirmée.

La grande tradition de François Iᵉʳ se renoue avec Louis XIV. Dès qu'il prend personnellement le pouvoir, en 1661, le roi, conseillé par Colbert, enrichit le cabinet royal, dont la magnificence doit témoigner de l'éclat de la

Couronne, grâce à deux acquisitions spectaculaires : celle d'une bonne partie de la fameuse galerie du cardinal Mazarin, et celle, en deux fois (1662 et 1671), de la collection du banquier Jabach. Des chefs-d'œuvre de la Renaissance italienne toujours vénérée (Léonard, Raphaël, Titien et aussi Corrège et Véronèse), provenant pour beaucoup de la collection de Charles Iᵉʳ d'Angleterre, rejoignent ainsi ceux de François Iᵉʳ. En même temps, des maîtres plus récents (Caravage, Guido Reni) entrent dans la collection royale, qui s'enrichira constamment par la suite d'autres peintures du XVIᵉ siècle, notamment des grands Vénitiens, et de tableaux du XVIIᵉ siècle bolonais et romain, particulièrement accordés au goût classique français tel que l'a façonné la peinture de Poussin, de Claude Lorrain, de Le Brun et de leurs émules. La Renaissance nordique est également à l'honneur dans la collection de Louis XIV, avec une impressionnante série de portraits de Holbein, des œuvres de Beham et d'Antonio Moro. Mais l'acquisition de tableaux flamands du XVIIᵉ siècle (Rubens et Van Dyck) et hollandais (Rembrandt) est significative d'une évolution de la sensibilité chez les amateurs comme chez les jeunes artistes séduits à la fin du siècle par une peinture plus colorée, sensuelle et moins soucieuse d'idéalisation que d'animation expressive, voire de pittoresque.

Tandis que se composent, sous Louis XV, de luxueuses collections privées — qui constitueront des mines pour les galeries princières d'Allemagne, pour la Grande Catherine, pour les amateurs britanniques — et que Paris devient l'un des centres du marché d'art européen, le cabinet du roi ne s'accroît que de quelques dizaines de tableaux étrangers, achetés notamment à la succession du prince de Carignan (1742), excellents d'ailleurs et où dominent encore des Flamands et des Hollandais.

Mais vers le milieu du XVIIIᵉ siècle l'opinion réclame la mise à la disposition du public des collections de la Couronne. Naît alors l'idée d'installer dans le vieux palais du Louvre un tel musée. Sous Louis XVI, le projet prend corps. Le surintendant des Bâtiments, le comte d'Angiviller, met en œuvre une vraie politique d'acquisitions. Il ne s'agit plus seulement d'enrichir la galerie du roi d'œuvres de prix qui serviront le prestige de la monarchie, mais bien d'élaborer (nous sommes au siècle de l'Encyclopédie) un ensemble plus représentatif des diverses écoles de peinture, telles qu'on les connaît et qu'on les apprécie alors. Pour les écoles étrangères, le principal effort porte sur les Flamands et surtout les Hollandais du XVIIᵉ siècle. On ignore encore les «primitifs» de tous les pays. Mais la peinture espagnole entre enfin, avec Murillo, dans la collection royale.

La Révolution réalise le projet. Le «Muséum central des arts» est ouvert en 1793 au Louvre. Aux fonds de la collection royale, devenue nationale, viennent s'ajouter de nombreuses peintures saisies dans les églises ou chez les collectionneurs émigrés et bientôt, prélevés à la suite des victoires militaires françaises, des chefs-d'œuvre pris dans les Flandres et en Hollande, en Italie, en Allemagne. Ainsi se constitue un prodigieux musée, appelé le musée Napoléon à partir de 1803, où domine la peinture étrangère : maîtres de la Renaissance et du XVIIᵉ siècle italien, artistes flamands et hollandais du XVIIᵉ siècle, mais aussi primitifs flamands et italiens enfin sortis de l'oubli, peintres de la Renaissance allemande. La morale internationale d'aujourd'hui condamne une telle entreprise, qu'on aurait pourtant tort d'attribuer seulement à l'esprit de rapine habituel à toute armée victorieuse. En réalité, le musée Napoléon est sans aucun doute dans l'esprit de ses réalisateurs, et surtout de son admirable directeur, Vivant Denon, un haut lieu destiné aux citoyens de l'Europe impériale, et qui illustre les progrès moraux et intellectuels nés de la Révolution par la «comparaison des efforts de l'esprit humain dans tous les siècles» (Vivant Denon). La création d'autres musées dans les principales villes de province (y compris Bruxelles, Genève et Mayence) à partir des fonds parisiens, et dans les capitales comme Milan, répond au même propos noblement éducatif.

En 1815, après Waterloo, des commissaires envoyés par tous les pays reprennent au Louvre plus de cinq mille œuvres d'art. N'échappent à ces restitutions qu'une centaine de peintures, laissées au Louvre par les alliés. La richesse des fonds propres à la France permet pourtant au musée de survivre au démantèlement. Après une période, la Restauration et la monarchie de Juillet, où les efforts se portent ailleurs (création sous Louis XVIII du musée du Luxembourg pour les artistes vivants et, par Louis-Philippe, du musée de l'Histoire de France au château de Versailles) ou seront sans bénéfice durable pour le patrimoine national (constitution de la galerie espagnole de Louis-Philippe, rendue à la famille d'Orléans après 1848 et vendue peu après en Angleterre), le musée prend un nouvel essor à la suite de la Révolution de 1848 et sous le Second Empire. Désormais et jusqu'à la guerre de 1914-1918, les conservateurs seront en compétition avec leurs collègues anglais et allemands, puis avec les collectionneurs américains, pour l'achat des pièces qui manquent à la collection. L'histoire de l'art devenue une discipline à part entière commence à rétablir les vraies perspectives de la peinture en Europe, des primitifs au XVIIIᵉ siècle, faisant surgir tel ou tel grand artiste, telle école entière, longtemps oubliés ; et les engouements successifs des collectionneurs raréfient les œuvres sur les marchés. A ce jeu, le Louvre comblera peu à peu certaines de ses lacunes, surtout pour les écoles «primitives», l'une après l'autre arrachées à l'ombre (l'achat de la collection Campana fait entrer au Louvre en 1863, en bloc, une centaine de panneaux italiens des XIVᵉ et XVᵉ siècles), pour la peinture espagnole, pour l'école anglaise, pour le XVIIIᵉ siècle italien… Dans le même temps, la grande variété du goût des amateurs (au premier rang desquels il faut placer le docteur La Caze, dont la collection entre au Louvre en 1869), dont la générosité alimente sans discontinuer la collection, équilibre et diversifie la représentation des différentes écoles, récemment remises en lumière ou traditionnellement appréciées.

Pendant tout le XIXᵉ siècle, la fécondité et le rayonnement international de la peinture française, qui se manifestent d'ailleurs aussi bien dans le cas de l'art officiel que de l'avant-garde, ont passablement détourné l'attention des conservateurs et des amateurs français de l'art contemporain des pays étrangers. C'est seulement à partir de la fin du siècle qu'on se préoccupe d'acquérir pour le musée du Luxembourg (plus tard ces peintures formeront un musée spécial pour les écoles étrangères modernes, au musée du Jeu de paume) des œuvres représentant la plupart des pays européens et les États-Unis : moisson abondante, inégale, mais qui permet d'engranger *La Mère* de Whistler, des peintures remarquables de Winslow Homer, de Watts ou de Pelizza da Volpedo, à défaut de Klimt, de Munch ou des symbolistes les plus originaux. Signalons que ces peintures sont désormais au musée d'Orsay où elles ont rejoint les œuvres françaises de la même époque appartenant aux collections nationales et présentées successivement au Jeu de paume, au Louvre et au palais de Tokyo.

Après 1918, l'ère des grands achats paraît terminée. Le Louvre s'offre encore le *Portrait de l'artiste* de Dürer, mais ne peut, faute de moyens et malgré l'aide constante de la clairvoyante Société des amis du Louvre, retenir les chefs-d'œuvre des collections privées que musées et amateurs étrangers, surtout américains, savent capter. Cependant, à la veille de la Seconde Guerre mondiale, un souffle neuf ranime une fois de plus la vieille maison. Une réorganisation générale est entreprise, que continue l'après-guerre. Plusieurs donations importantes, émanant de grandes collections anciennes (Rothschild, Groult, Péreire) ou plus récentes (Beistegui, Nicolas, Lyon, Salavin), enrichissent telle ou telle section des écoles étrangères. Des crédits d'achats moins limités et de nouvelles dispositions légales (autorisant le paiement des droits de succession en œuvres d'art et faisant ainsi entrer au Louvre des pièces majeures de Filippino Lippi, de Rubens, de Vermeer, de Hals et de Goya) permettent la poursuite d'un programme d'acquisitions.

L'aménagement de l'ancien ministère des Finances, désormais aile Richelieu du musée au nord du palais, permet au département des Peintures de s'étendre considérablement : à l'école italienne est consacrée l'entière aile sud, au premier étage (Denon) ; à l'école française la cour Carrée, au deuxième étage, les grands formats du XIXe siècle restant dans les vastes salles qu'ils occupent actuellement ; aux écoles flamande et hollandaise, allemande, anglaise est attribuée une bonne part des espaces du deuxième étage de l'aile Richelieu.

Le XIVe et le XVe siècle italiens

Oubliés durant les siècles classiques, les « primitifs » antérieurs à Pérugin et à Léonard étaient absents des collections royales, comme d'ailleurs des autres galeries princières du même type. La résurrection des maîtres du Trecento et du Quattrocento commence précisément, au début du XIXe siècle, au moment de la constitution du Muséum central. Certains Français, historiens comme Séroux d'Agincourt ou amateurs tels Artaud de Montor et Cacault, ont compté parmi les pionniers d'une redécouverte qu'allait encore développer l'admiration des artistes, des « nazaréens » allemands ou des « troubadours » français, mais qui ne se généralisera guère avant le deuxième quart du siècle. Mantegna et Giovanni Bellini figurent déjà dans les premiers convois d'œuvres d'art rapportés d'Italie en 1798. L'importance de la « primitive école italienne », de la peinture de « ces temps reculés », comme on disait alors, est flairée par Vivant Denon, constamment soucieux d'élargir le champ de son musée. Il se rend lui-même en Italie en 1811 pour choisir une série de retables florentins du XVe siècle (Fra Angelico, Filippino Lippi, Ghirlandaio, Lorenzo di Credi), et même des œuvres plus anciennes, notamment venant de San Francesco de Pise : les retables de Cimabue et de Giotto. En même temps il achetait à Gênes le triptyque aujourd'hui attribué à Carlo Braccesco.

Au moment des reprises massives opérées par les alliés en 1815, cette section du musée fut moins démantelée que d'autres. Le Louvre garda *La Madone de la victoire* et l'un des panneaux de la prédelle du retable de San Zeno de Mantegna, ainsi que l'ensemble des retables florentins rassemblés par Vivant Denon, que les commissaires florentins cédèrent volontairement au Louvre.

La période suivante, Restauration et monarchie de Juillet, est peu fructueuse pour l'ensemble des collections anciennes, on le sait. Il faut pourtant signaler quelques achats isolés : celui des panneaux du Maître du codex de Saint-Georges et du Maître d'Ovile, venant de la collection du peintre troubadour Révoil, de *La Naissance de saint Jean* de Signorelli (1824) et surtout du *Portement de croix* de Simone Martini (1834) qui, comme les autres petits panneaux du même polyptyque (aujourd'hui au musée d'Anvers) acquis à Dijon, provenait sans doute de la chartreuse de Champmol. Le prix d'achat de ce minuscule chef-d'œuvre en dit long sur le peu de cas que l'on faisait encore à cette époque des primitifs, sauf dans le cercle de rares amateurs. L'œuvre fut acquise pour la modeste somme de 200 F, alors qu'on n'hésita pas à payer 25 000 F *La Nativité* de Spagna, peintre ombrien secondaire mais bénéficiant du prestige de Pérugin et de Raphaël !

Sous le Second Empire, la grande affaire fut l'acquisition de la collection Campana. « Affaire » — le mot est juste — dont les rebondissements tout à la fois romanesques et scandaleux doivent être succinctement rappelés ici. Le marquis Campana (1807-1880), directeur du mont-de-piété de Rome, avait réuni dans ses palais une prodigieuse collection d'antiques et de primitifs. Emporté par la passion du collectionneur, il en était venu à emprunter à l'établissement dont il avait la charge des sommes de plus en plus considérables, gagées sur sa propre collection. En 1857, une vérification des comptes révéla le déficit. Arrêté, Campana fut condamné au bannissement et ses collections mises en vente. A la suite de négociations secrètes, où joua une compétition serrée entre plusieurs grands musées européens, la collection (11 835 objets, dont 646 tableaux) fut achetée par Napoléon III pour la très forte somme de 4 360 400 F. D'abord exposée (1862) dans son ensemble au palais de l'Industrie sous le nom de musée Napoléon III, elle fut brutalement dispersée en trois temps (1863, 1872, 1876) à travers les musées de province, le Louvre ne gardant qu'une centaine de tableaux du Trecento et du Quattrocento de cet ensemble unique. A cet éparpillement absurde et contre lequel protestèrent en vain de nombreux artistes, tels Ingres et Delacroix, notre époque a mis fin en regroupant au Petit Palais d'Avignon, ouvert en 1976, les quelque trois cents primitifs qui avaient été disséminés à travers les musées de province. Les tableaux Campana du Louvre constituent un ensemble très varié, surtout des écoles de Toscane, de Venise et du nord de l'Italie (alors que les autres centres, moins appréciés et jugés provinciaux au moment de la dispersion de la collection, sont mieux représentés au musée d'Avignon), qui va des « giottesques » Florentins (Daddi) à Bartoloméo Vivarini et Montagna. Parmi les chefs-d'œuvre, il faut au moins citer la *Bataille* d'Uccello, la *Pietà* de Cosme Tura et la série des *Hommes illustres* du palais d'Urbin (Juste de Gand et Pedro Berruguete).

Lorsque ces tableaux entrent au Louvre, la bataille des primitifs italiens est gagnée. Ces deux siècles de peinture, mieux connus grâce aux travaux de Crowe et Cavalcaselle et plus tard de Berenson, adulés par les « préraphaélites » d'Angleterre et leurs amis, font désormais l'objet d'un engouement universel. Les conservateurs du Louvre se doivent de compléter les collections. Sans parvenir à composer un panorama aussi complet que leurs collègues de la National Gallery de Londres, ils font l'acquisition de pièces insignes d'Antonello de Messine, de Baldovinetti, de Jacopo et Giovanni Bellini, de Pisanello, de Ghirlandaio ; ils réussissent aussi à acquérir les fresques allégoriques peintes par Botticelli pour la villa Tornabuoni (depuis villa Lemmi), et l'une des fresques de Fra Angelico du couvent San Domenico de Fiesole. La municipalité d'Aigueperse cède (1910) le *Saint Sébastien* de Mantegna qui provient de la famille Gonzague-Montpensier. Quelques donations, notamment le legs de la baronne Nathaniel de Rothschild (Ercole de Roberti) interviennent au même moment.

Il faut attendre ces trente-cinq dernières années, passé la grande vague des achats de primitifs italiens par les collections américaines, pour que d'autres acquisitions notables viennent enrichir le Louvre dans ce domaine. C'est le cas des trois grands panneaux du retable du Borgo San Sepolcro (1956) par Sassetta, rejoints en deux temps (1965 et 1988), hasards heureux des découvertes, par deux des tableaux de la prédelle du même polyptyque, et du *Calvaire* de Giovanni Bellini (1970). Citons encore l'*Histoire d'Esther* de Filippino Lippi, entré par dation en 1972 et qui faisait à l'origine pendant à un autre « cassone » aujourd'hui à Chantilly ; l'incisif et monumental portrait de *Sigismond Malatesta* de Piero della Francesca, l'un des grands maîtres dont l'absence au Louvre fut longtemps déplorée (1978) ; *La Madone* de Zoppo ; un *crucifix* précieux du XIIIe siècle (Maître de San Francesco) et plusieurs Siennois du XIVe siècle (Pietro Lorenzetti, Lippo Memmi, Ugolino), enfin *Le Christ à la colonne* d'Antonello de Messine retrouve (1992) le *Condottière*.

Cenni di Pepi,
dit Cimabue
Florence, vers 1240 –
Florence, après 1302
Maestà, la Vierge et l'Enfant
en majesté entourés d'anges,
vers 1270 (?)
Bois. 4,27 x 2,80
Provient de l'église
San Francesco de Pise
Entré en 1813

Giotto di Bondone
Colle di Vespignano,
vers 1267 – Florence, 1337
*Saint François d'Assise
recevant les stigmates*
Prédelle :
*La Vision du pape
Innocent III,
Le Pape approuvant
les statuts de l'ordre,
Saint-François
prêchant aux oiseaux,*
vers 1295-1300 (?)
Bois. 3,13 x 1,63
Provient de l'église
San Francesco de Pise
Entré en 1813

Giotto reprend ici certaines des compositions qui illustrent les divers épisodes de la vie de saint François telles qu'il les avait peintes à fresque sur les murs de la basilique d'Assise au cours de la dernière décennie du XIIIᵉ siècle. Les quatre scènes offrent en quelque sorte un raccourci des inventions de l'artiste, qui propose une nouvelle vision figurative, en affirmant la monumentalité plastique des figures disposées dans un espace en profondeur et en chargeant la représentation sacrée d'humaine vérité.

Maître de San Francesco
Actif en Ombrie,
2ᵉ moitié du XIIIᵉ siècle
Croix peinte, vers 1260
Bois. 0,86 x 0,73
Acquis en 1981

Simone Martini
Sienne, vers 1284 –
Avignon, 1344
Le Portement de croix,
vers 1336/42 (?)
Bois. 0,28 x 0,16
Acquis en 1834

Pietro da Rimini
Actif à Rimini
dans la première moitié
du XIVᵉ siècle
La Déposition de croix,
vers 1330/40
Bois. 0,43 x 0,35
Donation Brauer, 1932

Pietro Lorenzetti
Sienne, documenté
de 1305 (?) à 1345
L'Adoration des mages,
vers 1340
Bois. 0,33 x 0,24
Acquis en 1986

Maître du codex
de Saint-Georges
Actif en Toscane
et en Avignon (?)
au début du XIVᵉ siècle
*La Vierge et l'Enfant
sur un trône
entourés d'anges,
de saint Jean-Baptiste,
saint Pierre
et de deux saints,*
vers 1315-1330
Bois. 0,56 x 0,21
Acquis en 1828

Peintre bolonais
Triptyque, 1333
Panneau central :
*Le Couronnement
de la Vierge, La Crucifixion*
Bois. 0,73 x 1,35
Volet gauche :
*L'Ange de l'Annonciation,
La Vierge de miséricorde,*

*saintes Marguerite,
Catherine et Lucie* (?)
Volet droit :
*La Vierge de l'Annonciation,
La Nativité,
Trois saints martyrs*
Bois. 1,27 x 0,36 (chaque volet)
Collection du marquis Campana,
acquis en 1863

Lorenzo Veneziano
Actif à Venise de 1356
à 1372
La Vierge et l'Enfant,
1372
Bois. 1,26 x 0,56
Collection du marquis Campana,
acquis en 1863

Giovanni da Milano
Actif à Florence entre 1320
et 1369
Saint François d'Assise,
vers 1360
Bois. 1,13 x 0,39
Collection du marquis Campana,
acquis en 1863

Antonio Pisano,
dit Pisanello
Vérone (?), avant 1395 –
1455 (?)
*Portrait présumé
de Ginevra d'Este,*
vers 1436/38 (?)
Bois. 0,43 x 0,30
Acquis en 1893

Jacopo Bellini
Venise, actif à partir
de 1423 – Venise, 1470
*La Vierge et l'Enfant adorés par
Lionello d'Este,*
vers 1450
Bois. 0,60 x 0,40
Acquis en 1873

Gentile da Fabriano
Fabriano, vers 1370 – Rome, 1427
La Présentation au Temple, 1423
Bois. 0,26 x 0,66
Provient de l'église
Santa Trinità de Florence
Entré en 1812

Fra Angelico
Vicchio di Mugello (?),
vers 1400 (?) –
Rome, 1455
*Le Martyre des saints Cosme
et Damien,* vers 1440
Bois. 0,37 x 0,46
Acquis vers 1882

Filippo Lippi
Florence, vers 1406/07 –
Spolète, 1469
*La Vierge et l'Enfant
entourés d'anges,
de saint Frediano
et saint Augustin,*
vers 1437/38
Bois. 2,08 x 2,44
Provient de l'église
Santo Spirito de Florence
Entré en 1814

Fra Angelico
Vicchio di Mugello (?),
vers 1400 (?) – Rome, 1455
Le Couronnement de la Vierge,
vers 1430/35
Bois. 2,09 x 2,06
Prédelle : *Cinq scènes
de la vie de saint Dominique*
Bois. 0,295 x 2,10
Provient de l'église du couvent
San Domenico de Fiesole
Entré en 1812

Stefano di Giovanni,
dit Sassetta
Sienne, 1392 (?) –
Sienne, 1450
*La Vierge et l'Enfant
entourés de six anges*
Bois. 2,07 x 1,18
*Saint Antoine de Padoue
Saint Jean l'Évangéliste*
Bois. 1,95 x 0,57 (chaque volet)
Panneaux du retable de
San Francesco de Borgo
San Sepolcro (1437/44)
Acquis en 1956

Stefano di Giovanni,
dit Sassetta
Sienne, 1392 (?) –
Sienne, 1450
*La Damnation de l'âme
de l'avare de Citerna*
Bois. 0,587 x 0,453
Panneau de la prédelle
du retable
de Borgo San Sepolcro
(1437/44)
Acquis en 1988

Paolo Uccello
Florence, 1397 –
Florence, 1475
Bataille de San Romano,
vers 1450/56
Bois. 1,80 x 3,16
Collection du marquis Campana,
acquis en 1863

Piero della Francesca
Borgo San Sepolcro, 1422 (?) –
Borgo San Sepolcro, 1492
Sigismond Malatesta,
vers 1451
Bois. 0,44 x 0,34
Acquis en 1978

Alesso Baldovinetti
Florence, vers 1426 –
Florence, 1499
La Vierge et l'Enfant,
vers 1460/65
Bois. 1,06 x 0,75
Acquis en 1898 avec l'aide
de la Société des amis du Louvre

Marco Zoppo
Cento, 1433 –
Venise, 1478
*La Vierge et l'Enfant
entourés d'anges,*
1455
Bois transposé sur toile. 0,89 x 0,72
Acquis en 1980

Andrea Mantegna
Isola di Carturo,
vers 1430/31 –
Mantoue, 1506
Saint Sébastien,
vers 1480
Toile. 2,55 x 1,40
Acquis en 1910

Andrea Mantegna
Isola di Carturo,
vers 1430/31 –
Mantoue, 1506
*La Sagesse victorieuse
des vices,*
vers 1502
Toile. 1,60 x 1,92
Provient du Studiolo
d'Isabelle d'Este à Mantoue,
collection du duc de Richelieu
Entré en 1801

Giovanni Bellini
Venise, vers 1430 –
Venise, 1516
Calvaire,
vers 1465/70
Bois. 0,70 x 0,63
Acquis en 1970

Ce panneau constituait l'élément central de la prédelle du grand retable peint par Mantegna, alors en pleine maturité, pour le maître-autel de l'église de San Zeno de Vérone. Pour représenter dans sa vérité le drame du Calvaire, il procède à une recréation grandiose de l'Antiquité classique, redécouverte dans son authenticité archéologique, en réinventant un monde de statues et de paysages minéraux, vu à travers l'objectif de la perspective qu'il utilise avec une étonnante virtuosité.

Andrea Mantegna
Isola di Carturo,
vers 1430/31 –
Mantoue, 1506
Le Calvaire,
entre 1457 et 1460
Bois. 0,76 x 0,96
Provient de l'église
San Zeno de Vérone
Entré en 1798

Giovanni Bellini
Venise, vers 1430 –
Venise, 1516
Le Christ bénissant,
vers 1460
Bois. 0,58 x 0,46
Acquis en 1912

Cosme Tura
Connu à Ferrare de 1431
à 1495
Pietà,
vers 1480
Bois. 1,32 x 2,68
Collection du marquis Campana,
acquis en 1863

Antonello de Messine
Messine, vers 1430 –
Messine, 1479
Le Christ à la colonne,
vers 1476
Bois. 0,30 x 0,21
Acquis en 1992

Antonello de Messine
Messine, vers 1430 –
Messine, 1479
Portrait d'homme,
dit *Le Condottiere,*
1475
Bois. 0,35 x 0,28
Acquis en 1865

Lorenzo di Credi
Florence, vers 1458 –
Florence, 1537
*La Vierge et l'Enfant entourés
de saint Julien
et de saint Nicolas de Myre,*
vers 1490/92
Bois. 1,63 x 1,64
Provient de l'église
Santa Maria-Maddalena dei Pazzi
Entré en 1812

Filippino Lippi
Prato (?), 1457 (?) –
Florence, 1504
*L'Évanouissement d'Esther
devant Assuérus,*
vers 1475
Bois. 0,48 x 1,32
Acquis en 1972

Sandro di Mariano
Filipepi,
dit Botticelli
Florence, 1445 –
Florence, 1510
*Vénus et les Grâces offrant
des présents à une jeune fille,*
vers 1480/83
Fresque. 2,12 x 2,84
Acquis en 1882

Carlo Braccesco
Connu en Ligurie
et en Lombardie de 1478
à 1501
Triptyque, vers 1480/1500
Panneau central :
L'Annonciation
Bois. 1,58 x 1,07
Volet gauche :
Saint Benoît
et saint Augustin
Volet droit :
Saint Étienne et saint Ange
Bois. 1,05 x 0,52 (chaque volet)
Acquis en 1812

Vittore Carpaccio
Venise, vers 1460/65 –
Venise, 1525/26
La Prédication de saint Étienne
à Jérusalem, 1514 (?)
Toile. 1,48 x 1,94
Entré en 1814

Cima da Conegliano
Conegliano, 1459/60 –
Conegliano (?), 1517/18
La Vierge et l'Enfant entre
saint Jean-Baptiste et
sainte Marie-Madeleine,
vers 1510/15
Bois. 1,67 x 1,10
Provient de l'église du couvent
San Domenico de Parme
Entré en 1814

Le XVIᵉ siècle italien

L'ensemble des peintures de la haute Renaissance italienne constitue sans doute l'un des plus irremplaçables trésors du Louvre ; on n'en trouve guère l'équivalent réuni dans un seul musée hors d'Italie. A la base de cette collection figurent les œuvres réunies par François Iᵉʳ, qui se proposa délibérément d'inviter en France les artistes les plus « modernes » du temps, c'est-à-dire les maîtres d'Italie, et de composer une prestigieuse galerie de leurs ouvrages, rassemblés pour l'exemple et pour la gloire, non moins que pour le plaisir. On sait qu'il réussit dès 1516 à attirer près de lui le plus illustre de ces artistes, Léonard de Vinci, déjà protégé par Louis XII, et à réunir plusieurs de ses rares tableaux : *La Joconde, La Vierge aux rochers* (sans doute déjà chez Louis XII), *La Belle Ferronière*, ainsi que *La Vierge, l'Enfant Jésus et sainte Anne* et *Saint Jean-Baptiste,* qui devaient quitter ensuite les collections royales pour y revenir au XVIIᵉ siècle. Il acquit des œuvres d'autres Florentins : Fra Bartolomeo, Andrea del Sarto qui, au cours d'un séjour en France en 1518, peignit *La Charité*, avant de faire appel à Rosso pour la décoration de Fontainebleau. C'est pour lui que Raphaël peignit en 1518 *Saint Michel terrassant le démon* et *La Grande Sainte Famille,* et Sebastiano del Piombo *La Visitation* (1521). Parmi les autres peintures collectionnées par François Iᵉʳ, à défaut de la *Léda* de Léonard et de celle de Michel-Ange, étrangement disparues, on peut citer sans doute *La Belle Jardinière* et le *Portrait de l'artiste avec un ami* de Raphaël, à coup sûr le *Portrait de Jeanne d'Aragon* de Jules Romain et probablement le *Portrait de l'artiste* de Savoldo. En outre, le roi commanda à Titien son portrait (1538) de profil, peint d'après la médaille de Benvenuto Cellini.

Ce premier fonds, longtemps conservé au château de Fontainebleau, puis transporté au Louvre, va se trouver considérablement enrichi lorsque Louis XIV entreprendra à son tour de constituer une collection dont le faste illustre et reflète l'éclat de son règne. L'acquisition d'une partie de la galerie du cardinal Mazarin (1661) et de celle du banquier Jabach (1662-1671) amène *Le Sommeil d'Antiope, Le Mariage mystique de sainte Catherine* et les *Allégories* du Studiolo d'Isabelle d'Este de Corrège ; le portrait de *Balthasar Castiglione* et les petits *Saint Georges* et *Saint Michel* de Raphaël ; le *Concert champêtre* et plusieurs autres tableaux de Titien, notamment la *Vénus du Pardo, La Mise au tombeau, Les Pèlerins d'Emmaüs, L'Homme au gant* ; des Véronèse, des Jules Romain. Bon nombre de ces tableaux avaient été acquis par Mazarin et Jabach, autour de 1650, à la vente à Londres de la fameuse galerie de Charles Iᵉʳ, sans doute la plus riche collection de peintures rassemblée en Europe au début du XVIIᵉ siècle. Une partie des œuvres italiennes qui la composaient provenait de la galerie des Gonzague de Mantoue, cédée en bloc à Charles Iᵉʳ en 1627.

D'autres tableaux de la Renaissance italienne entrent par la suite dans la collection de Louis XIV : des œuvres de Bronzino, Lotto, Pontormo, Palma Vecchio, des séries de peintures de Bassan (mais, hélas ! aucun chef-d'œuvre

Pietro Perugino dit le Pérugin
Città della Pieve, vers 1448 –
Fontignano, 1523
Apollon et Marsyas, vers 1495
Bois. 0,39 x 0,29
Acquis en 1883

de Jacopo) qui, à Versailles, composeront la décoration d'une des salles des Grands Appartements, et encore des Véronèse, ainsi l'immense et superbe *Repas chez Simon* offert au roi par la République de Venise et qui, sous Louis XV, s'intégrera dans le décor du salon d'Hercule à Versailles. Intégration si réussie qu'il paraîtra judicieux, après un long séjour au Louvre, de replacer la toile dans le cadre somptueux conçu par Robert de Cotte.

Il y eut peu d'acquisitions de maîtres italiens de la Renaissance sous les règnes de Louis XV et de Louis XVI. En 1741, à la succession du prince de Carignan, Rigaud conseille pourtant, entre autres, l'achat de *La Vierge au voile* de Raphaël et de *La Vierge au coussin vert* de Solario. Lorsque d'Angiviller met en œuvre la politique systématique d'acquisitions visant à compléter la collection du roi dans le dessein d'en faire un musée public, il préfère s'intéresser à des écoles ou à des époques moins bien représentées.

L'afflux des tableaux pris en Italie sous la Révolution et l'Empire devait faire du Louvre un «musée imaginaire» de la Renaissance italienne aussi prodigieux qu'éphémère. Les commissaires alliés reprirent en 1815 tous les chefs-d'œuvre venus de Rome, de Florence, de Parme, de Venise ou de Bologne mais acceptèrent de laisser une poignée de pièces importantes : *Le Paradis* de Tintoret, *La Sainte Conversation* de Pontormo, *Le Couronnement d'épines* de Titien, *La Circoncision* de Barocci qui, placée à Notre-Dame, ne revint au Louvre qu'en 1862, ainsi que les encombrantes *Noces de Cana* de Véronèse qui furent échangées contre *Le Repas chez Simon* de Le Brun. Parmi les œuvres de cette époque entrées sous la Révolution et qui y restèrent figuraient aussi les tableaux pris en France même, tels ceux du cabinet d'Isabelle d'Este (Mantegna, Costa, Pérugin) saisis en 1801 au château de Richelieu, ainsi que *Le Mariage mystique de sainte Catherine* de Fra Bartolomeo venant de la cathédrale d'Autun ; *L'Incrédulité de saint Thomas* de la chapelle des Florentins à Lyon et la *Pietà* de Rosso de la chapelle du château d'Écouen.

Parmi les acquisitions du XIXe siècle, peu nombreuses en ce domaine déjà si riche, il faut au moins retenir l'achat du *Saint Jérôme* de Lotto (1857) et celui des fresques sacrées et profanes de Luini (1853 et 1867) venant de la villa Pellucca et du palais Litta et complétant l'ensemble des tableaux de cet artiste, dont la «morbidesse» émut tant d'amateurs du XIXe siècle, et d'autres peintures lombardes du début du XVIe siècle.

Si opulente qu'elle soit, la collection du Cinquecento du Louvre accuse évidemment quelques lacunes. Le maniérisme y figure avec moins d'éclat que les tendances classiques de la Renaissance. N'est-il pas significatif que le seul tableau de Parmigianino (qu'a rejoint récemment un délicat *Mariage mystique de sainte Catherine* laissé inachevé par l'artiste), un petit *Portrait de l'artiste* des collections royales, ait vu son insolite mise en page radicalement modifiée par un agrandissement rééquilibrant la composition et justifiant ainsi une attribution à Raphaël ? Les derniers achats d'œuvres du XVIe siècle tiennent compte de cette nécessité de mieux illustrer les différents courants maniéristes italiens, de l'origine toscane du mouvement (*Prédelle* de Beccafumi, acquise en 1966) à sa diffusion à Fontainebleau (*Paysage avec l'enlèvement de Proserpine* de Nicolo dell'Abbate, acheté en 1933) et à Prague (*Les Saisons* d'Arcimboldo, achetées en 1964) et à son utilisation dans l'éclectisme démonstratif de la Contre-Réforme (Antonio Campi, *Scènes de la Passion,* acquis en 1985). Mais il va de soi que le Louvre saura toujours accueillir les grands maîtres lorsque sortiront de l'ombre des œuvres jusqu'alors inconnues (Raphaël, *Ange* ; Lotto, *Le Christ portant sa croix,* acquis en 1982).

Léonard de Vinci
Vinci, 1452 – Cloux, 1519
Saint Jean-Baptiste,
vers 1513/15 (?)
Bois. 0,69 x 0,57
Collection de François Iᵉʳ,
collection de Louis XIV

Léonard de Vinci
Vinci, 1452 – Cloux, 1519
La Vierge aux rochers,
1483 (?)
Bois transposé sur toile. 1,99 x 1,22
Collection de Louis XII (?)

Léonard de Vinci
Vinci, 1452 – Cloux, 1519
*La Vierge, l'Enfant Jésus
et sainte Anne,*
vers 1508/10
Bois. 1,68 x 1,30
Collection de François Iᵉʳ (?),
collection de Louis XIII

Raffaelo Santi,
dit Raphaël et Giulio
Romano
Urbino, 1483 –
Rome, 1520 ;
Rome, 1499 –
Mantoue, 1546
Jeanne d'Aragon,
1518
Toile. 1,20 x 0,96
Collection de François Ier

Léonard de Vinci
Vinci, 1452 – Cloux, 1519
Mona Lisa ou *La Joconde,*
vers 1503/06
Bois. 0,77 x 0,53
Collection de François Ier

Andrea Solario
Milan, vers 1470/75 –
Milan ou Pavie, 1524
La Vierge au coussin vert,
vers 1507/10
Bois. 0,60 x 0,47
Collection de Louis XV,
acquis en 1742

Fra Bartolomeo
Florence, 1475 –
Florence, 1517
*Le Mariage mystique
de sainte Catherine,*
1511
Bois. 2,57 x 2,28
Provient de la collégiale
Notre-Dame d'Autun
Entré en 1800

Raffaello Santi,
dit Raphaël
Urbino, 1483 –
Rome, 1520
Saint Georges,
vers 1505
Collection de Louis XIV,
acquis en 1661

Raffaello Santi,
dit Raphaël
Urbino, 1483 –
Rome, 1520
La Belle Jardinière
(La Vierge et l'Enfant
avec saint Jean-Baptiste),
1507
Bois. 1,22 x 0,80
Collection de François Ier (?)

Popularisée sous le nom imagé de «Belle jardinière», cette Vierge à l'Enfant avec le petit saint Jean dans un pré fleuri date de la période florentine de Raphaël, moment de maturité rayonnante vivifiée par les exemples de Léonard de Vinci et du jeune Michel-Ange. Pendant cette période, l'artiste exécute des variations sur le même thème (*Madone du belvédère* de Vienne, *Madone au chardonneret* de Florence, par exemple) en donnant à la composition l'équilibre parfait de la pyramide.

Raffaello Santi, dit Raphaël
Urbino, 1483 – Rome, 1520
Balthazar Castiglione, vers 1514/15
Toile. 0,82 x 0,67
Collection de Louis XIV, acquis en 1661

Antonio Allegri,
dit le Corrège
Correggio, 1489 (?) –
Correggio, 1534
*Le Mariage mystique
de sainte Catherine,*
vers 1526/27
Bois. 1,05 x 1,02
Collection de Louis XIV

Raffaello Santi,
dit Raphaël
Urbino, 1483 –
Rome, 1520
*Saint Michel terrassant
le démon,* 1518
Bois transposé sur toile. 2,68 x 1,60
Collection de François Ier

Andrea del Sarto
Florence, 1486 –
Florence, 1530
Sainte Famille,
vers 1515/16
Bois. 1,41 x 1,06
Collection de François Ier

Antonio Allegri, dit le Corrège
Correggio, 1489 (?) – Correggio, 1534
Vénus, Satyre et Cupidon, dit à tort
Le Sommeil d'Antiope, vers 1524/25
Toile. 1,90 x 1,24
Collection de Louis XIV

Jacopo Carucci,
dit Pontormo
Pontormo, 1494 –
Florence, 1556
La Sainte Conversation,
vers 1527/29
Bois. 2,28 x 1,76
Provient du couvent
de Sant'Anna in Verzaia, Florence
Entré en 1814

Nicolo dell'Abbate
Modène, vers 1509 ou 1512 –
Fontainebleau ou Paris, 1571 (?)
L'Enlèvement de Proserpine,
vers 1560
Toile. 1,96 x 2,18
Acquis en 1933

Giovanni Battista
di Jacopo,
dit Rosso Fiorentino
Florence, 1495 –
Fontainebleau, 1540
Pietà,
vers 1530/35
Bois transposé sur toile. 1,25 x 1,59
Saisi à la Révolution
(collection de Louis-Joseph
de Bourbon, prince de Condé)

Tiziano Vecellio,
dit le Titien
Pieve di Cadore, 1488/89 –
Venise, 1576
Portrait d'homme,
dit *L'Homme au gant,*
vers 1520/23
Toile. 1,00 x 0,89
Collection de Louis XIV,
acquis en 1671

Tiziano Vecellio,
dit le Titien
Pieve di Cadore, 1488/89 –
Venise, 1576
Le Concert champêtre,
vers 1510/11
Toile. 1,10 x 1,38
Collection de Louis XIV,
acquis en 1671

185

Tiziano Vecellio,
dit le Titien
Pieve di Cadore, 1488/89 –
Venise, 1576
Le Couronnement d'épines,
vers 1542
Bois. 3,03 x 1,80
Provient de Santa Maria
delle Grazie, Milan
Entré en 1797

Sebastiano del Piombo
Venise (?), vers 1485 –
Rome, 1547
La Visitation, 1521
Toile. 1,68 x 1,32
Collection de François Iᵉʳ

Jacopo Palma Vecchio
Serina, vers 1480 –
Venise, 1528
L'Adoration des bergers,
vers 1515/20
Toile. 1,40 x 2,10
Collection de Louis XIV,
acquis en 1685

Construite sur un jeu magistral de contrastes expressifs et formels, et notamment sur le dialogue entre l'ombre et la lumière alors que tombe le crépuscule, la composition offre un exemple, constamment admiré et sollicité depuis lors, de la grande manière vénitienne, lyrique et d'une souveraine liberté picturale.

Tiziano Vecellio,
dit le Titien
Pieve di Cadore, 1488/89 –
Venise, 1576
La Mise au tombeau,
vers 1520/22
Toile. 1,48 x 2,05
Collection de Louis XIV,
acquis en 1662

Giovanni Gerolamo
Savoldo
Brescia, vers 1480/85 –
Venise (?), après 1548
Portrait de l'artiste,
dit autrefois *Portrait
de Gaston de Foix,*
vers 1531/32
Toile. 0,91 x 0,23
Collection de François Iᵉʳ (?)

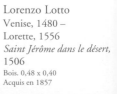

Lorenzo Lotto
Venise, 1480 –
Lorette, 1556
Saint Jérôme dans le désert,
1506
Bois. 0,48 x 0,40
Acquis en 1857

Lorenzo Lotto
Venise, 1480 –
Lorette, 1556
Le Christ portant sa croix,
1526
Toile. 0,66 x 0,60
Acquis en 1982

Lorenzo Lotto
Venise, 1480 – Lorette, 1556
Le Christ et la Femme adultère,
vers 1530/35
Toile. 1,24 x 1,56
Collection de Louis XIV,
acquis en 1617

Jacopo Robusti, dit le Tintoret
Venise, 1512 – Venise, 1594
Le Paradis, vers 1578/79
Toile. 1,43 x 3,62
Esquisse pour le *Paradis* de la salle
du Grand Conseil du Palazzo Ducale à Venise
Provient du palais Bevilacqua à Vérone
Entré en 1799

Paolo Caliari,
dit Véronèse
Vérone, 1528 –
Venise, 1588
Les Pèlerins d'Emmaüs,
vers 1559/60
Toile. 2,90 x 4,48
Collection de Louis XIV

Paolo Caliari,
dit Véronèse
Vérone, 1528 –
Venise, 1588
Les Noces de Cana,
1562/63
Toile. 6,66 x 9,90
Provient du couvent
de San Giorgio Maggiore, Venise
Entré en 1798

Federico Barocci
Urbino, vers 1535 –
Urbino, 1612
La Circoncision,
1590
Toile. 3,74 x 2,52
Provient de l'église de la confrérie du
Nom-de-Jésus à Pesaro
Entré en 1798
Concédé à Notre-Dame de Paris
en 1802, don du chapitre, 1862

Pour composer cette immense toile, destinée au réfectoire du couvent des bénédictins dans l'île de San Giorgio Maggiore à Venise, édifié par Palladio, Véronèse met en œuvre son imagination scénographique. Dans une lumineuse architecture inspirée de celle de Palladio, il transfigure la scène religieuse en fastueuse fête mondaine. L'œuvre a retrouvé sa splendeur chromatique grâce à une restauration attentive et prudente qui l'a débarrassée des repeints et de vernis jaunis.

Jan Provost
Mons, vers 1465 – Bruges, 1529
Allégorie chrétienne,
vers 1500/10
Bois. 0,50 x 0,40
Don Christiane Aulanier, 1973

Le XVe et le XVIe siècle flamand et hollandais

Il est fort probable que la collection de François Ier a compris des tableaux flamands contemporains. On sait ainsi que l'Anversois Joos Van Cleve, venu à Fontainebleau vers 1530, fit le portrait du roi et de membres de sa famille ; mais aucun de ces portraits, connus par divers exemplaires dans plusieurs musées, n'est demeuré dans les collections royales.

Lorsque Le Brun dresse l'inventaire du cabinet du roi en 1683, il enregistre trois ou quatre tableaux flamands du XVe et du début du XVIe siècle : *Les Noces de Cana* de Gérard David (alors attribuées à Jean de Bruges, c'est-à-dire à Jan Van Eyck) et, sous le nom de Holbein, à la fois *Le Sacrifice d'Abraham*, que nous attribuons aujourd'hui au Monogrammiste de Brunswick, et un *Portrait d'homme* de Joos Van Cleve.

Les primitifs flamands sont mis à l'honneur au musée Napoléon. On y voit notamment, de Van Eyck plusieurs panneaux du *Retable de l'Agneau mystique* enlevés à Gand et *La Vierge du chanoine Van der Paele* pris à Bruges, de Memling le triptyque du *Jugement dernier* de Dantzig et le triptyque de *Saint Christophe* de Bruges (tous ces chefs-d'œuvre regagneront leur ville d'origine en 1816), *L'Annonciation* de Rogier Van der Weyden venant de Turin et *La Vierge du chancelier Rolin* de Jan Van Eyck, provenant de la collégiale d'Autun. Ces œuvres suscitent curiosité et admiration de la part des jeunes dévots du retour au gothique, tels le philosophe allemand Schlegel et les frères Boisserée de Cologne (qui vont constituer une remarquable collection de primitifs flamands et allemands, aujourd'hui à la Pinacothèque de Munich). Mais l'enthousiasme n'est pas encore général. On connaît la réaction de Stendhal, fidèle au goût classique pour les idéales suavités bolonaises ou romaines, devant le succès populaire du *Jugement dernier* de Memling : «C'est une croûte de l'école allemande (…). Le peuple aime à voir les grimaces des damnés», écrit-il en 1814. Les connaissances des experts et des historiens au sujet de cette école restent encore confuses. *L'Annonciation* de Rogier, comme *Le Jugement dernier* de Memling, est tenue pour une œuvre allemande et c'est sous le nom de Holbein, encore lui, qu'est catalogué le grand retable de Joos Van Cleve venant de Santa Maria della Pace de Gênes (1813). Autre acquisition notable du musée Napoléon, l'achat à Paris en 1806 du *Prêteur et sa femme* signé par Quentin Metsys.

Pour cette section des collections, comme pour beaucoup d'autres, la Restauration et la monarchie de Juillet fournissent peu d'enrichissements importants : acquise en 1822, *L'Instruction pastorale* avec au fond une vue de Sainte-Gudule de Bruxelles qui donnera son sobriquet au «Maître de la vue de Sainte-Gudule» et, acheté en 1847, le *Diptyque Carondelet* de Jan Gossaert. En revanche, la période 1850-1914 voit une suite ininterrompue de dons et d'achats. Memling est exceptionnellement bien représenté au Louvre, grâce notamment au legs par la comtesse Duchâtel de la grande *Vierge de Jacques Floreins* (1878), à l'achat du *Triptyque de la Résurrection* (1860) et du *Portrait de femme âgée* (1908).

L'entrée de plusieurs œuvres de Dirck Bouts (*La Déploration du Christ*), d'autres tableaux de Gérard David (*Triptyque Sedano,* acquis en 1890), Quentin Metsys, Joos Van Cleve, Gossaert, de peintures de Provost, Barend Van Orley, de maniéristes anversois (*Loth et ses filles,* longtemps attribué à Lucas de Leyde ; *Le Martyre de saint Jean l'Évangéliste,* legs Schlichting, 1914) allait dans le même temps donner une vraie consistance à la section des primitifs flamands. C'est l'époque où ces artistes ont été triomphalement remis en évidence par une grande exposition à Bruges (1902) et où leur rareté sur le marché rend la concurrence entre grands musées particulièrement rude. Les conservateurs du Louvre parviennent alors à acheter *La Résurrection de Lazare* de Gérard de Saint-Jean (1902) et un chef-d'œuvre insigne de Rogier Van der Weyden (le *Triptyque Braque,* acheté en 1913), mais échouent dans leur tentative d'acquérir une œuvre de Hugo Van der Goes, le grand maître absent des collections. La légende veut que l'admirable *Adoration des mages* de cet artiste leur ait été «soufflée» par les représentants du tout-puissant Kaiser-Friedrich-Museum de Berlin arrivés quelques jours avant eux au monastère de Monforte en Espagne qui avait mis discrètement le tableau en vente (1914) !

D'autres tableaux ont depuis lors enrichi la collection, en y faisant entrer des œuvres d'artistes jusqu'alors non représentés : *La Nef des fous* de Jérôme Bosch, donnée en 1918 par Camille Benoit, ancien conservateur du Louvre ; *Le Christ et la Samaritaine* de Juan de Flandes (acheté en 1926) qu'allait rejoindre, quarante ans plus tard, un autre petit panneau provenant du même ensemble peint pour Isabelle la Catholique, *Le Couronnement de la Vierge* de Michel Sittow ; *Saint Jérôme* de Joachim Patenier, donné par le marchand anglais Duveen (1923) ; la *Pietà* de Petrus Christus (achat, 1951) ; *La Tireuse de cartes* de Lucas de Leyde (legs Lebaudy, 1962). Il faut aussi signaler le don par Christiane Aulanier (1973) de la rare *Allégorie chrétienne* de Jan Provost et du même artiste l'achat de *Abraham, Sara et l'Ange* (1989).

Jusqu'à présent n'ont été évoqués ici que les peintres néerlandais des débuts du XVIe siècle. Ceux de la seconde moitié du siècle sont entrés dans les collections selon d'autres critères : les tableaux de Lambert Sustris (*Vénus et l'Amour, Le Baptême de l'eunuque*) de la collection de Louis XIV y bénéficiaient certainement du prestige de l'école vénitienne tandis que les nombreux paysages de Paul Bril étaient appréciés du fait que le Flamand fut l'initiateur du paysage idéal classique. Mais figure aussi dans le cabinet du roi *Le Nain du cardinal de Granvelle* d'Antonio Moro.

Le plus grand peintre flamand du siècle, Pieter Bruegel, n'entre au Louvre qu'à la fin du siècle dernier, grâce au don fait par Paul Mantz des petits mais extraordinaires *Mendiants* (1892). Quant aux autres tendances de cette période longtemps mal aimée (n'accusa-t-on pas le comte de Morny de se défaire d'une peinture «médiocrissime» lorsqu'il donna au Louvre en 1852 *David et Bethsabée* de Jan Massys?), c'est grâce au hasard des donations (Cornelis Van Dalem, *Cour de ferme avec un mendiant,* don Benoit, 1918) et à des achats judicieux (Otto Venius, *L'Artiste peignant au milieu des siens,* acquis en 1835 ; Spranger, *La Justice,* acquis en 1936) qu'elles sont illustrées au Louvre.

Jan Van Eyck
Maasseyck, (?) – Bruges, 1441
La Vierge du chancelier Rolin,
vers 1435
Bois. 0,66 x 0,62
Provient de la collégiale Notre-Dame
d'Autun
Entré en 1800

Rogier Van der Weyden Tournai, 1399/1400 – Bruxelles, 1464
Triptyque de la famille Braque, vers 1450
Panneau central : *Le Christ entre la Vierge et saint Jean l'Évangéliste.* Bois. 0,41 x 0,68
Volet gauche : *Saint Jean-Baptiste*
Volet droit : *Sainte Madeleine*
Bois. 0,41 x 0,34 (chaque volet). Acquis en 1913

Rogier Van der Weyden
Tournai, 1399/1400 –
Bruxelles, 1464
L'Annonciation,
vers 1435
Bois. 0,86 x 0,93
Provient de la Galerie royale
de Turin
Entré en 1799

Dirck Bouts
Haarlem, vers 1420 –
Louvain, 1475
La Déploration du Christ,
vers 1460
Bois. 0,69 x 0,49
Legs de M. Mongé-Misbach, 1871

Geertgen tot Sint Jans
dit Gérard de Saint-Jean
Leyde (?), 1460/65 –
Haarlem, 1488/93
La Résurrection de Lazare,
vers 1480
Bois. 1,27 x 0,97
Acquis en 1902

Maître de la vue
de Sainte-Gudule
Actif à Bruxelles
entre 1470 et 1490
Prédication de saint Géry (?),
dit *L'Instruction pastorale*,
*avec l'église Sainte-Gudule
de Bruxelles à l'arrière-plan*,
vers 1475/80
Bois. 0,98 x 0,69
Acquis en 1822

Hans Memling
Seligenstadt-am-Main,
vers 1435 – Bruges, 1494
Portrait de femme âgée,
vers 1470/75
Bois. 0,35 x 0,29
Acquis en 1908

Hans Memling
Seligenstadt-am-Main,
vers 1435 – Bruges, 1494
*Triptyque
de la Résurrection*,
vers 1490
Panneau central :
Bois. 0,61 x 0,44
Volet gauche :
Le Martyre de saint Sébastien
Volet droit :
L'Ascension
Bois. 0,61 x 0,18 (chaque volet)
Acquis en 1860

Michel Sittow
Reval, vers 1468 –
Reval, 1525/26
*Le Couronnement
de la Vierge,*
entre 1496 et 1504
Bois. 0,24 x 0,18
Acquis en 1966

Hieronymus (Jérome)
Bosch Van Aken
Bois-le-Duc, vers 1450 –
Bois-le-Duc, 1516
La Nef des fous,
vers 1500 (?)
Bois. 0,58 x 0,32
Don Camille Benoit, 1918

Juan de Flandes
Connu en Castille,
depuis 1496 – Palencia, 1519
Le Christ et la Samaritaine,
entre 1496 et 1504
Bois. 0,24 x 0,17
Acquis en 1926

Gérard David
Ouwater, 1450/60 –
Bruges, 1523
Les Noces de Cana,
vers 1500
Bois. 1,00 x 1,28
Collection de Louis XIV,
entré avant 1683

Quentin Metsys
Louvain, 1465/66 –
Anvers, 1530
Le Prêteur et sa femme,
1514
Bois. 0,70 x 0,67
Acquis en 1806

Jan Gossaert,
dit Mabuse
Maubeuge (?), vers 1478 –
Middelburg, 1532
Diptyque Carondelet,
1517
Volet gauche :
Jean Carondelet
Volet droit :
Vierge à l'Enfant
Bois cintré. 0,42 x 0,27
(chaque volet)
Acquis en 1847

Joachim Patenier
Dinant, vers 1480 –
Anvers, 1524
Saint Jérôme dans le désert,
vers 1515 (?)
Bois. 0,78 x 1,37
Don sir Joseph Duveen, 1923

Joos Van Cleve
Clèves (?), vers 1485 –
Anvers, 1540/41
La Déploration du Christ,
vers 1530
Bois. 1,45 x 2,04
Panneau central
d'un retable comportant
également une lunette
*(Stigmatisation de saint
François)* et une prédelle
(La Cène)
Provient de l'église
Santa Maria della Pace à Gênes
Entré en 1813

Lucas de Leyde
Leyde, 1494 – Leyde, 1533
La Tireuse de cartes,
vers 1510
Bois. 0,24 x 0,30
Legs de Mme Pierre Lebaudy, 1962

Maître du Martyre
de saint Jean
Actif à Anvers vers 1525
*Le Martyre
de saint Jean l'Évangéliste,*
vers 1525
Bois cintré. 1,17 x 0,67
Legs du baron Basile de Schlichting,
1914

Peintre anonyme
d'Anvers ou de Leyde
Première moitié du XVIᵉ siècle
Loth et ses filles,
vers 1520
Bois. 0,48 x 0,34
Acquis en 1900
Longtemps attribué à Lucas de Leyde

Cornelis Van Dalem
Connu à Anvers
entre 1545 et 1573/76
Cour de ferme
avec un mendiant,
vers 1560 (?)
Bois. 0,38 x 0,52
Don Camille Benoit, 1918

Anthonis Mor,
dit Antonio Moro
Utrecht, 1519 –
Anvers, 1575
Le Nain du cardinal
de Granvelle,
vers 1560
Bois. 1,26 x 0,92
Collection de Louis XIV,
entré avant 1683

Pieter Bruegel le Vieux
Bruegel (?), vers 1525 –
Bruxelles, 1569
Les Mendiants,
1568
Bois. 0,18 x 0,21
Don Paul Mantz, 1892

Si réduite qu'elle soit par ses dimensions, cette œuvre condense avec une rigoureuse concision plastique la vision sarcastique, douloureuse et finalement cordiale que Bruegel propose de la condition humaine. Qu'il décrive une simple scène populaire, peut-être le départ des lépreux du lazaret pour le carnaval, ou que la signification symbolique de ces estropiés soit politique, sociologique ou morale, comme on l'a proposé tour à tour, l'artiste donne là une image puissante de la misère physique et de l'isolement moral des réprouvés.

Jan Massys
Anvers, vers 1509 –
Anvers, vers 1575
David et Bethsabée,
1562
Bois. 1,62 x 1,97
Don du comte de Morny, 1852

Lambert Sustris
Amsterdam,
entre 1515 et 1520 –
Padoue (?), après 1568
Vénus et l'Amour,
vers 1560 (?)
Toile. 1,32 x 1,84
Collection de Louis XIV,
entré avant 1683

Le XVIIe siècle flamand

Les premiers tableaux flamands entrés au XVIIe siècle dans la collection royale sont dus à des peintres vivants, venus travailler à Paris pour la reine Marie de Médicis : Frans Pourbus, qui peint le portrait officiel de la reine pour la Petite Galerie du Louvre et exécute pour des églises de Paris de grandes toiles religieuses (dont *La Cène*, transportée au Louvre lors des saisies révolutionnaires), et Rubens. L'illustre maître d'Anvers est chargé par la reine mère de réaliser la décoration picturale d'une longue galerie de son palais du Luxembourg. La galerie est inaugurée en 1625 pour le mariage de Henriette de France avec le roi Charles Ier d'Angleterre. Elle comporte vingt-quatre toiles illustrant, en les magnifiant bien entendu, les épisodes de la vie de la reine depuis sa naissance à Florence, jusqu'à sa réconciliation avec son fils Louis XIII. Sommet de la peinture baroque, cette œuvre considérable et dont, contrairement à ce qui est souvent dit, Rubens exécuta lui-même l'essentiel, semble avoir éveillé peu d'échos immédiats, le goût parisien, au milieu du siècle, étant acquis au classicisme italien et à la sobre interprétation française.

Il faut attendre les années 1660-1670 pour que la peinture flamande pénètre à nouveau dans les collections royales. Peu importants dans la galerie de Mazarin, acquise en 1661, les tableaux flamands sont excellents dans celle de Jabach, et comptent des œuvres maîtresse de Rubens *(Thomyris, La Vierge des Saints Innocents)* et de Van Dyck *(Les Princes palatins)*. Mais alors est déjà engagée dans les milieux artistiques parisiens la bataille des partisans de la «couleur» s'opposant aux «poussinistes» qui soutiennent, au nom du classicisme, les mérites du «dessin». Roger de Piles «déterre les mérites de Rubens» et la galerie Médicis retrouve des admirateurs, tandis que se multiplient les collections de peintures flamandes et que le cabinet du roi s'enrichit de nouvelles toiles de Van Dyck *(La Vierge aux donateurs, Vénus demande à Vulcain des armes pour Énée)*, de Rubens, dont *La Kermesse* achetée en 1685 à M. de Hauterive, de nombreux paysages décoratifs de Paul Bril et Joos de Momper, et de *La Bataille d'Issus*, œuvre maîtresse de Jan Bruegel de Velours, laissée à Louis XIV par Le Nôtre en 1693. Mais le mot du roi : «Otez-moi ces magots-là» devant un Teniers placé dans son appartement, même s'il est apocryphe, répond à une certaine vérité : l'engouement pour les peintres de genre du Nord qui se répand chez les amateurs parisiens à la fin du siècle et se reflète dans la jeune peinture française, ne se manifeste pas encore à Versailles, qui en reste au «grand goût».

Alors que sous la Régence et sous le règne de Louis XV se constituent ou se développent tant de collections magnifiques, au premier rang desquelles l'incomparable galerie du duc d'Orléans, riches en Flamands, le cabinet du roi s'accroît fort peu. Les rares acquisitions sont du moins de la meilleure venue : *La Fuite de Loth* de Rubens, achetée aux héritiers du prince de Carignan (1742) ; les *Œuvres de Miséricorde*, premier tableau important de Teniers dans la collection royale ; *Le Calvaire* de Van Dyck, attribué alors à

Anthony
Van Dyck
Anvers, 1599 –
Blackfriars, 1641
*Charles Ier,
roi d'Angleterre,
à la chasse,*
entre 1635 et 1638
Toile. 2,66 x 2,07
Collection de Louis XVI,
acquis en 1775

207

Rubens et provenant de l'église des jésuites de Bergues, Saint-Winnocq (1749) ; *Jésus chassant les marchands du Temple* de Jordaens, enfin, cédés en 1751 par le peintre Natoire.

La peinture flamande compte pour beaucoup dans le programme d'acquisition du comte d'Angiviller. Achetés directement à des collectionneurs privés, à des marchands (surtout Le Brun) ou en vente publique, les tableaux ainsi rassemblés complètent intelligemment le fonds ancien en fournissant une meilleure illustration de la peinture de genre (Craesbeck, Teniers) et de la grande peinture religieuse (Rubens, *Martyre de saint Liévin*, acheté à la vente des jésuites de Flandres, envoyé au musée de Bruxelles en 1803, et *Adoration des mages)* et en étoffant la représentation de Jordaens *(Les Quatre Évangélistes)*, de Van Dyck *(Charles I*[er] *roi d'Angleterre à la chasse*, acheté en 1775 à Madame du Barry) et de Rubens portraitiste *(Hélène Fourment et ses enfants*, acquise en 1784 à la vente du comité de Vaudreuil).

A la Révolution, les saisies opérées chez les émigrés font entrer des peintures de genre, tableaux de cabinet de petit format (Francken, Teniers, Neeffs) et natures mortes (Snyders, Fyt) qui abondaient dans les collections parisiennes, mais aussi de grandes toiles religieuses (Jacob Van Oost, *Saint Macaire de Gand secourant les pestiférés*, saisi chez le prince de Conti), et *Hercule et Omphale* de Rubens, seule épave de la galerie d'Orléans émigrée en bloc en Angleterre.

Des tableaux enlevés en Flandre durant la Révolution, la quasi-totalité de ceux qui se trouvaient au Louvre ont regagné leur pays d'origine en 1815. Il fallait regarnir les cimaises du Louvre dévasté. On fit revenir du Luxembourg les toiles de la galerie Médicis de Rubens. La Restauration n'est guère plus favorable à l'école flamande qu'aux autres secteurs du musée. On achète pourtant deux importants tableaux de Jordaens : *Jupiter nourri par la chèvre Amalthée* et *Portrait d'homme*, et plus tard deux nouveaux Rubens : *Portrait du baron de Vicq* et une esquisse pour la galerie Médicis.

En revanche, l'épisode suivant est particulièrement faste ; plus de soixante-dix tableaux entrent avec la donation La Caze en 1869. On y trouve des natures mortes de Fyt et de Snyders, une série de Teniers, des peintures de Van Dyck *(Martyre de saint Sébastien)*, et surtout une suite d'esquisses de Rubens (*Philopœmen* et esquisses pour le plafond des jésuites d'Anvers), choisies pour leur éblouissante liberté de facture par un amateur passionné de Watteau et de Fragonard.

La plupart des tableaux flamands entrés depuis cent ans sont dus à la générosité privée. Citons parmi beaucoup d'autres *Le Porte-Étendard* de Victor Boucquet, le *Paysage au crépuscule* d'Adriaen Brouwer, le grand *Ixion trompé par Junon* de Rubens (legs Schlichting, 1914). Dans la collection si choisie donnée par Carlos de Beistegui (1942) figurent *La Mort de Didon* de Rubens et un *Portrait de gentilhomme* de Van Dyck. Il manquait à la collection de Van Dyck un de ses grands portraits de l'aristocratie génoise ; cette lacune a été comblée par le don d'un *Portrait de la marquise Spinola-Doria*, donné en 1949 par les héritiers du baron Édouard de Rothschild. C'est de la même collection que provient, par dation en paiement de droits de mutation, le portrait de *Hélène Fourment au carrosse* de Rubens, que le baron Alphonse de Rothschild avait acquis du duc de Malborough en 1884. Il s'agit là d'un chef-d'œuvre du portrait européen et d'un des enrichissements majeurs du Louvre depuis la dernière guerre.

Toujours active, la Société des amis du Louvre a donné au musée *Le Repos de Diane* de Jordaens (1982) et largement participé à l'achat de *La Résurrection du Christ* de Gerard Seghers (1990).

Paul Bril
Anvers, 1554 –
Rome, 1626
Chasse au cerf,
vers 1595/1600 (?)
Toile. 1,05 x 1,37
Collection de Louis XIV,
entré avant 1683

Jan Bruegel de Velours
Bruxelles, 1568 –
Anvers, 1625
La Bataille d'Issus,
1602
Bois. 0,86 x 1,35
Collection de Louis XIV,
légué au roi par Le Nôtre, 1693

Jacob Jordaens
Anvers, 1593 –
Anvers, 1678
Le Repos de Diane,
vers 1645/55
Toile. 2,03 x 2,64
Don de la Société des amis
du Louvre, 1982

Petrus Paulus Rubens
Siegen, 1577 –
Anvers, 1640
*L'Apothéose d'Henri IV
et la Proclamation
de la régence
de Marie de Médicis,
le 14 mai 1610,*
vers 1622/24
Toile. 3,94 x 7,27
Collection de Louis XIV,
entré en 1693

Petrus Paulus Rubens
Siegen, 1577 –
Anvers, 1640
La Kermesse,
vers 1635
Bois. 1,49 x 2,61
Collection de Louis XIV,
acquis en 1685

Petrus Paulus Rubens
Siegen, 1577 –
Anvers, 1640
*Philopœmen, général
des Achéens, reconnu
par ses hôtes de Mégare,*
vers 1610
Bois. 0,50 x 0,66
Legs Louis La Caze, 1869

Petrus Paulus Rubens
Siegen, 1577 –
Anvers, 1640
Hélène Fourment
au carrosse,
vers 1639
Bois. 1,95 x 1,32
Acquis par dation en paiement
de droits de mutation en 1977

Anthony Van Dyck
Anvers, 1599 –
Blackfriars, 1641
La Vierge aux donateurs,
vers 1627/30
Toile. 2,50 x 1,91
Collection de Louis XIV,
acquis en 1685

Anthony Van Dyck
Anvers, 1599 –
Blackfriars, 1641
Vénus demande à Vulcain
des armes pour Énée,
vers 1630
Toile. 2,20 x 1,45
Collection de Louis XIV,
acquis entre 1684 et 1715

Jacob Jordaens
Anvers, 1593 –
Anvers, 1678
Les Quatre Évangélistes,
vers 1625
Toile. 1,34 x 1,18
Collection de Louis XVI,
acquis en 1784

Jacob Jordaens
Anvers, 1593 –
Anvers, 1678
*Jésus chassant les
marchands du Temple,*
vers 1650
Toile. 2,88 x 4,36
Collection de Louis XV,
acquis en 1751

Victor Boucquet
Furnes, 1619 –
Furnes, 1677
Un porte-étendard,
1664
Toile. 1,84 x 1,12
Don de la comtesse
de Comminges-Guitaud, 1898

Jacob II Van Oost
Bruges, 1637 –
Bruges, 1713
*Saint Macaire de Gand
secourant les pestiférés,*
1673
Toile. 3,50 x 2,57
Saisi à la Révolution
(collection du prince de Conti)

David Teniers
Anvers, 1610 –
Bruxelles, 1690
*Chasse au héron
avec l'archiduc
Léopold-Guillaume,*
vers 1650/60
Toile. 0,82 x 1,20
Collection de Louis XVI,
acquis en 1784

Adriaen Brouwer
Audenarde, 1605/06 –
Anvers, 1638
Paysage au crépuscule,
vers 1633/37
Bois. 0,17 x 0,26
Don de M. Friedsam, 1926

Jan Fyt
Anvers, 1611 –
Anvers, 1661
*Gibier et attirail de chasse
découverts par un chat,*
vers 1640/50 (?)
Toile. 0,95 x 1,22
Legs Louis La Caze, 1869

Jan Vermeer
Delft, 1632 – Delft, 1675
La Dentellière,
vers 1665
Toile collée sur bois. 0,24 x 0,21
Acquis en 1870

Le XVIIᵉ siècle hollandais

La prééminence accordée par l'Académie royale de peinture et de sculpture à la peinture d'histoire, placée au sommet de la hiérarchie des genres dans la France du XVIIᵉ siècle, a longtemps retenu le goût officiel de s'attacher aux maîtres hollandais de ce temps, qui pratiquaient surtout les genres « inférieurs », voués à la représentation de la seule réalité. Certes, plusieurs paysagistes néerlandais italianisants étaient appréciés alors en France, ainsi Jan Asselijn ou Herman Van Swanevelt, qui peignent des paysages pour la décoration de l'hôtel Lambert (ces tableaux entreront dans la collection royale sous Louis XVI), mais sans doute parce qu'ils se rattachaient à la tradition du paysage idéal classique. On trouve peu de tableaux hollandais du XVIIᵉ siècle dans la collection de Louis XIV. Cadeau diplomatique de Maurice de Nassau au roi (1678-1679), la série des *Vues du Brésil* de Frans Post, dont notre époque a redécouvert le charme ingénu, relève plus du document prisé pour son exotisme et promis au cabinet de curiosités que de la grande peinture.

On n'est pas surpris de l'acquisition par Louis XIV de la grande *Nature morte* de Davidsz de Heem, qui annonce les fastueux étalages décoratifs de Monnoyer et de Desportes.

Premier signe de l'évolution de la sensibilité, l'entrée dans le cabinet du roi en 1671, deux ans seulement après la mort du peintre, du *Portrait de l'artiste au chevalet* de 1660 de Rembrandt. L'achat de plusieurs Gérard Dou (dont *La Lecture de la Bible*) entre 1684 et 1715 marque un tournant plus significatif. Désormais les collectionneurs français, férus de bambochades flamandes, recherchent aussi les paysages, les natures mortes, les scènes de genre hollandaises dont ils apprécient la « vérité de l'imitation », la finesse ou la rouerie des effets lumineux. Une mode est née qui se fait jour également, à la fin du siècle, chez plusieurs jeunes peintres travaillant «dans le goût de Rembrandt » et qui se traduira tout au long du XVIIIᵉ siècle par la réunion chez les amateurs français d'un nombre considérable de tableaux hollandais du siècle précédent, dont les dimensions réduites s'accordent au décor des « petits appartements ». Comment sous-estimer d'autre part la parenté de sentiment et de goût pictural qui lie tant de grands peintres français, de Chardin et Oudry à Fragonard et Greuze, à leurs aînés hollandais ?

Lors de la succession Carignan (1742), le cabinet royal s'enrichit de quelques pièces de choix, par exemple *L'Ange Raphaël quittant Tobie* de Rembrandt. C'est sous Louis XVI qu'interviennent les acquisitions les plus décisives, opérées par l'intermédiaire de marchands (ainsi Le Brun qui fournit *Le Galant militaire* de Ter Borch et le *Départ pour la promenade* de Cuyp) ou en vente publique. A la vente Randon de Boisset (1777), on se porte acquéreur des *Pèlerins d'Emmaüs* de 1648 de Rembrandt, et à celle du comte de Vaudreuil (1784) des deux *Philosophes* (l'un d'eux est aujourd'hui attribué à Samuel Koninck) et du *Portrait d'Hendrickje Stoffels* de Rembrandt, ainsi que du *Coup de soleil* de Jacob Ruisdael. Sauf la nature morte, la plupart des genres et des artistes appréciés des grands amateurs du temps sont alors retenus par d'Angiviller pour ces achats. Qu'à la fin du XVIIIe siècle, les collectionneurs parisiens aient été véritablement entichés de cette peinture — au moment où Boilly, Marguerite Gérard et Drolling font revivre l'intimisme soyeux de Metsu et de Dou, tandis que Demarne et Swebach imitent Wouwermann ou Berchem —, rien ne le prouve mieux que la liste des tableaux saisis chez les émigrés, où abondent les œuvres néerlandaises. Parmi celles-ci, il faut citer au moins *Saint Matthieu et l'Ange, Les Pèlerins d'Emmaüs* tardifs et deux *Portraits de l'artiste* de Rembrandt ; l'*Adoration des bergers* de Bloemaert et *Le Concert* de Ter Borch.

Plusieurs additions intéressantes marquent la période révolutionnaire et impériale, notamment le don de la fameuse *Femme hydropique* de Dou par Charles-Emmanuel de Savoie en 1799. De la galerie du stathouder transférée à Paris en 1795, seuls restèrent au Louvre en 1815, après les reprises opérées par les alliés, quelques tableaux de Berchem, Wouwermann, Weenix et *Le Concert* de Van Honthorst.

L'admiration portée aux maîtres hollandais par le XIXe siècle se diversifie. La seconde moitié du siècle en porte les fruits avec une suite d'achats ou de donations qui complètent l'ancien fonds. C'est ainsi qu'est acquis *Le Bœuf écorché* de Rembrandt en 1857 et que certains artistes longtemps méconnus (et qui manquent aussi à des fonds aussi riches que ceux de l'Ermitage, formés essentiellement au XVIIIe siècle) entrent dans les collections : Vermeer, que vient de ressusciter le critique français Gustave Thoré (1866), avec *La Dentellière,* ou Hobbema avec *Le Moulin à eau.* Dommage que des artistes tels que Philip Koninck ou Jan Van de Cappelle, tant appréciés des amateurs britanniques, n'aient pas alors bénéficié d'un tel élan !

Les tableaux hollandais du legs La Caze (1869) sont, comme tous ceux de ce connaisseur infaillible, de la plus fine qualité picturale : peintures de Ter Borch, de Van Ostade, de Steen ou de Van Goyen, que dominent trois chefs-d'œuvre : l'incomparable *Bethsabée au bain* de Rembrandt, *La Bohémienne* et le *Portrait de femme* de Frans Hals.

A côté d'importants cadeaux isolés, le don global de collections entières au début du XXe siècle accroît notablement la section hollandaise. C'est le cas du legs Schlichting (1914), et surtout de la collection du comte de l'Espine (1930), où figurent les mystérieuses *Pantoufles* attribuées aujourd'hui à Samuel Van Hoogstraten.

La période récente, sans être aussi prolifique, voit la collection se compléter, se diversifier et s'enrichir de chefs-d'œuvre illustres des trois plus grands maîtres du siècle, Rembrandt, Hals et Vermeer. Quelques achats ou dons témoignent de la nécessité de représenter des artistes (Aert de Gelder, Carel Fabritius, Ter Brugghen, Coorte, Sweerts, Saenredam, Bramer), des tendances (le maniérisme de Wtewael et de Cornelis de Haarlem, deux œuvres majeures données par la Société des amis du Louvre), des genres, telle la nature morte (Bosschaert) ou des aspects de l'œuvre de certains maîtres (*Nature morte* de Salomon Ruisdael, *Paysage* de Flinck), remis en évidence par les historiens d'aujourd'hui. Parmi les donations, trois pièces majeures s'imposent : le *Portrait de Titus* et *Le Château,* qui complète l'ensemble de Rembrandt avec un de ses rares paysages (don Nicolas, 1948), et *La Buveuse* de Pieter de Hooch (don de Mme Piatigorsky, 1974), qui provient de la collection du baron Alphonse de Rothschild. De même origine, le fameux *Astronome* de Vermeer est l'un des enrichissements capitaux du Louvre depuis la dernière guerre. Cette œuvre est entrée au Louvre par dation, comme c'est le cas d'un autre chef-d'œuvre hollandais, *Le Bouffon au luth* de Frans Hals.

Ambrosius Boschaert
Anvers, 1573 –
Middelburg, 1621
Bouquet de fleurs,
vers 1620
Cuivre. 0,23 x 0,17
Acquis avec le concours de la Société
des amis du Louvre, 1984

Joachim Wtewael
Utrecht, 1566 –
Utrecht, 1638
Persée et Andromède,
1611
Toile. 1,80 x 1,50
Don de la Société des amis
du Louvre, 1982

Gerrit Van Honthorst
Utrecht, 1590 –
Utrecht, 1656
Le Concert, 1624
Toile. 1,68 x 1,78
Provient de la collection
du stathouder, La Haye
Entré en 1795

Hendrick Ter Brugghen
Deventer, 1588 – Utrecht, 1629
Le Duo, 1628
Toile. 1,06 x 0,82. Acquis en 1954

Abraham Bloemaert
Gorkum, 1564 –
Utrecht, 1651
Adoration des bergers, 1612
Toile. 2,87 x 2,29
Provient de la collection Milliotty
Entré en 1799

Salomon Ruisdael
Naarden, 1600/03 –
Haarlem, 1670
Nature morte au dindon,
1661
Toile. 1,12 x 0,85
Acquis en 1965

Pieter Jansz Saenredam
Assendelft, 1597 –
Haarlem, 1665
*Intérieur de l'église
Saint-Baron à Haarlem,*
1630
Toile. 0,41 x 0,37
Acquis en 1983

Jan Van Goyen
Leyde, 1596 –
La Haye, 1656
*Paysage fluvial avec moulin
et château en ruine,*
1644
Toile. 0,97 x 1,33
Collection de Louis XVI

Frans Hals
Anvers, vers 1581/85 –
Haarlem, 1666
La Bohémienne,
vers 1628/30
Bois. 0,58 x 0,52
Legs Louis La Caze, 1869

Avec ce portrait d'une courtisane joviale et débraillée, Hals
se rattache au courant caravagesque des sujets populaires
importés de Rome en Hollande par Ter Brugghen et Van
Honthorst. Mais ici le dynamisme de la pose, la recherche
du naturel dans l'expression d'une vérité spontanée sont ser-
vis par le métier même du peintre. La rapidité du pinceau
qui zèbre la toile de touches lumineuses et fraîches suggère
la mobilité de la vie.

Frans Hals
Anvers, vers 1581/85 –
Haarlem, 1666
Portrait de femme,
vers 1650 (?)
Toile. 1,08 x 0,80
Legs Louis La Caze, 1869

Le tableau, l'un des plus célèbres de l'artiste, fut exécuté pendant la période caravagesque de Frans Hals, aux alentours de 1620-1625, à laquelle appartiennent aussi *La Bohémienne* et d'autres figures truculentes qui constituent toutes d'étonnants chefs-d'œuvre de force naturaliste et de brio pictural. De tels tableaux furent particulièrement admirés dans la France du XIXe siècle, notamment par la génération des réalistes et de Manet.

Frans Hals
Anvers, 1581/82 –
Haarlem, 1666
Le Bouffon au luth,
vers 1620/25
Toile. 0,70 x 0,62
Acquis par dation
en paiement de droits de mutation,
1984

Harmensz Rembrandt Van Rijn
Leyde, 1606 –
Amsterdam, 1669
Les Pèlerins d'Emmaüs,
1648
Bois. 0,68 x 0,65
Collection de Louis XVI,
acquis en 1777

Rembrandt est plusieurs fois revenu, en l'interprétant chaque fois de façon différente, sur le thème des pèlerins d'Emmaüs, qui exalte la double nature, humaine et divine, du Christ et permet de proposer une image spirituellement transcendée de la réalité quotidienne. Monumentale et grave, cette version, qui s'appuie pour la composition sur le souvenir de modèles de la Renaissance italienne, est l'un des chefs-d'œuvre les plus sereinement classiques de l'artiste.

Harmensz Rembrandt Van Rijn
Leyde, 1606 –
Amsterdam, 1669
Portrait de l'artiste au chevalet,
1660
Toile. 1,11 x 0,90
Collection de Louis XIV,
acquis en 1671

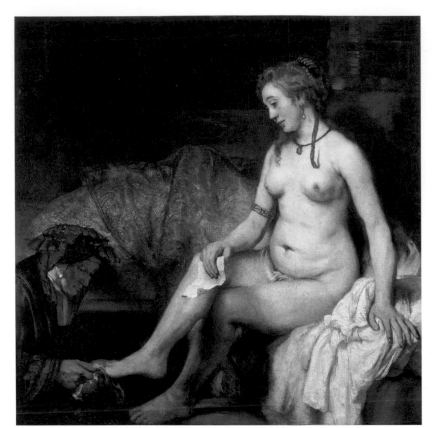

Harmensz Rembrandt Van Rijn
Leyde, 1606 –
Amsterdam, 1669
Bethsabée au bain,
1654
Toile. 1,42 x 1,42
Legs Louis La Caze, 1869

Harmensz Rembrandt Van Rijn
Leyde, 1606 – Amsterdam, 1669
Le Bœuf écorché, 1655
Bois. 0,94 x 0,69
Acquis en 1857

Govaert Flinck
Clèves, 1615 –
Amsterdam, 1660
Paysage, 1637
Bois. 0,495 x 0,75
Acquis en 1985

Gérard Dou
Leyde, 1613 – Leyde, 1675
La Femme hydropique,
1663 (?)
Bois. 0,86 x 0,67
Don de Charles-Emmanuel IV
de Savoie au général Clauzel
pour le Louvre, 1799

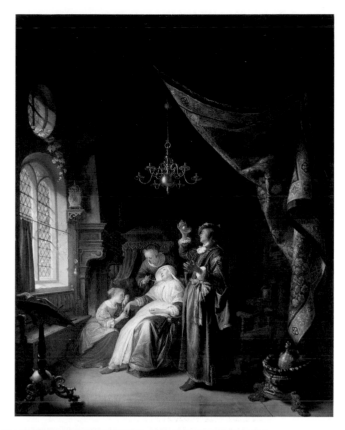

Adriaen Van Ostade
Haarlem, 1610 –
Haarlem, 1685
Portrait de famille,
1654
Bois. 0,70 x 0,88
Collection de Louis XVI,
acquis en 1785

227

Nicolaes Berchem
Haarlem, 1620 –
Amsterdam, 1683
*Paysage avec Jacob, Rachel
et Léa,* 1643 (?)
Toile. 1,66 x 1,38
Acquis en 1816

Aelbrecht Cuyp
Dordrecht, 1620 –
Dordrecht, 1691
Paysage près de Rhenen
vers 1650/55
Toile. 1,70 x 2,29
Collection de Louis XVI,
acquis en 1783

Karel Dujardin
Amsterdam, 1621/22 –
Venise, 1678
*Paysage d'Italie avec pâtre
et cheval pie,*
vers 1675 (?)
Bois. 0,32 x 0,27
Saisi à la Révolution
(collection du baron de Breteuil)

Cornelis
Van Poelenburgh
Utrecht, vers 1586 –
Utrecht, 1667
Ruines de l'ancienne Rome,
vers 1620
Cuivre. 0,44 x 0,57
Saisi à la Révolution (collection
de la duchesse de Noailles)

Jan-Baptist Weenix
Amsterdam, 1621 – Utrecht, vers 1660
Départ d'une troupe orientale, vers 1658/60
Toile. 1,23 x 1,75
Collection de Louis XVI, acquis en 1783

Jan Davidsz de Heem
Utrecht, 1606 –
Anvers, 1683/84
Un dessert,
1640
Toile. 1,49 x 2,03
Collection de Louis XIV,
acquis avant 1683

Michael Sweerts
Bruxelles, 1624 –
Goa, 1664
*Le Jeune Homme
et l'Entremetteuse,*
vers 1660 (?)
Cuivre. 0,19 x 0,27
Acquis en 1967

Jacob Ruisdael
Haarlem, 1628/29 –
Amsterdam, 1682
Le Coup de soleil,
vers 1660 (?)
Toile. 0,83 x 0,99
Collection de Louis XVI,
acquis en 1784

Jan Van der Heyden
Gorkum, 1637 –
Amsterdam, 1712
*Le Dam avec le nouvel
hôtel de ville à Amsterdam,*
1668
Toile. 0,73 x 0,86
Collection de Louis XVI,
acquis en 1783

Gabriel Metsu
Leyde, 1629 –
Amsterdam, 1667
*Le Marché aux herbes
d'Amsterdam,*
vers 1658/60
Toile. 0,97 x 0,84
Collection de Louis XVI,
acquis en 1783

**Meindert
Hobbema**
Amsterdam, 1638 –
Amsterdam, 1709
Le Moulin à eau,
vers 1660/70 (?)
Toile. 0,80 x 0,66
Acquis en 1861

L'œuvre date de la meilleure période de Pieter de Hooch, celle où il travaille à Delft (1654-1662). Il peint alors de tranquilles scènes d'intimité bourgeoise, conversations galantes ou épisodes de labeur domestique, dans la lumière claire d'un intérieur, d'une cour ou d'un jardinet. La poésie qui émane de telles compositions se fonde sur une construction subtile de l'espace en profondeur et une utilisation raffinée de l'éclairage. Le style de Pieter de Hooch y annonce directement celui de Vermeer.

Gérard Ter Borch
Zwolle, 1617 –
Deventer, 1681
Le Concert,
vers 1657
Bois. 0,47 x 0,44
Saisi à la Révolution
(collection du duc de Brissac)

Pieter de Hooch
Rotterdam, 1629 –
Amsterdam, 1684
La Buveuse,
1658
Toile. 0,69 x 0,60
Don de Mme Piatigorsky,
née Rothschild, 1974

Jan Vermeer
Delft, 1632 – Delft, 1675
L'Astronome,
1668
Toile. 0,51 x 0,45
Acquis par dation
en paiement de droits de mutation,
1983

L'Espagne

Les collections royales conservaient fort peu de tableaux espagnols ; au temps de Louis XIV, seulement *Le Buisson ardent* de Francisco Collantes et, parmi les portraits de famille destinés à la décoration du cabinet des bains dans l'appartement d'Anne d'Autriche, sœur de Philippe IV, au palais du Louvre et envoyés de Madrid, une seule œuvre de qualité : le *Portrait de la petite infante Marguerite* de Velázquez (ou, selon certains critiques, de son atelier). A ces tableaux s'ajoutèrent, sous Louis XVI, des peintures de Murillo parmi lesquelles *Le Jeune Mendiant,* un de ses chefs-d'œuvre, acheté au marchand Le Brun. On notera qu'au cours du XVIIIᵉ siècle, les peintres du Siècle d'or espagnol n'avaient encore fait qu'une discrète apparition dans les grandes collections européennes et que seul Murillo était vraiment recherché, faveur qui éclipsera longtemps celle de Velázquez.

Durant la première moitié du XIXᵉ siècle, un grand changement s'opère : l'Espagne est à la mode, et pas seulement l'Espagne romanesque et folklorique aux contrastes violents, qui fascinera littérateurs, musiciens ou simplement amateurs de pittoresque, mais aussi celle des grands peintres du XVIIᵉ siècle dont le ténébrisme passionné marquera, au milieu du siècle, tant de jeunes artistes lassés du romantisme et soucieux d'échapper aux faux-semblants académiques.

L'afflux de peintures espagnoles en France durant toute cette période est l'une des manifestations de cet hispanisme. Des collections nombreuses et considérables se forment alors, les unes rapportées d'Espagne, au temps du règne de Joseph Bonaparte et de la guerre d'indépendance, par certains généraux et constituées évidemment grâce aux circonstances politiques, telle la célèbre collection du maréchal Soult ; les autres rassemblées plus tard par des achats réguliers et massifs que favorisent à partir de 1835 la suppression des ordres religieux (l'*Exclaustración*) et les remous de la guerre carliste. Citons la collection du financier Aguado et surtout la prodigieuse galerie espagnole de Louis-Philippe, composée grâce à une prospection intelligemment conduite dans toute l'Espagne par le baron Taylor et qui, riche de centaines d'œuvres de tous les maîtres espagnols, avec des ensembles particulièrement éclatants de Zurbarán et de Goya, fut exposée au Louvre de 1838 à 1848.

De toutes ces peintures un temps réunies à Paris, que reste-t-il aujourd'hui au Louvre ? Bien peu, hélas ! Les tableaux envoyés d'Espagne en 1813 pour le musée Napoléon furent restitués en 1815. Après la révolution de 1848, la République rendit à la famille d'Orléans la galerie espagnole — à l'exception toutefois d'un primitif, alors apatride, oublié dans les dépôts et où notre époque a reconnu une œuvre du Catalan Huguet. Vendu à Londres en 1853, cet ensemble unique et éphémère est aujourd'hui disséminé dans les musées du monde entier. Une pièce maîtresse de la galerie espagnole est pourtant revenue au Louvre : *Le Christ en croix adoré par deux donateurs* du Greco, acheté en 1908. Quant aux tableaux du maréchal Soult, après l'échec de négociations d'achat menées sous Louis-Philippe, le Louvre put en acqué-

José de Ribera
Játiva, 1591 –
Naples, 1652
Le Pied-Bot,
1642
Toile. 1,64 x 0,93
Legs Louis La Caze,
1869

rir quelques-uns, de première importance, en 1858 et 1867 : *Saint Basile dictant sa doctrine* de Herrera, *La Cuisine des anges* et *La Naissance de la Vierge* de Murillo, les deux grandes *Scènes de la vie de saint Bonaventure* et la petite *Sainte Apolline* de Zurbarán. Entre-temps, le musée s'était porté acquéreur, lors de la vente publique d'une partie de la collection en 1852, de la fameuse, sans doute trop fameuse, *Immaculée Conception* de Murillo, en poussant les enchères jusqu'à la somme énorme de 586 000 F. L'œuvre a quitté le Louvre pour le Prado en 1940 à la suite d'un échange.

En 1865, Goya fait son entrée au Louvre avec le portrait de *Guillemardet*, peint alors que le modèle était ambassadeur de la République française à Madrid (1798) et légué par son fils. C'est le premier d'une série acquise peu à peu par le musée et qui constitue sans doute le plus bel ensemble de portraits de l'artiste hors d'Espagne : *La Femme à l'éventail* et *Perez de Castro,* achetés respectivement en 1898 et 1902 ; *La Marquise de la Solana,* l'une des plus justement admirées parmi les effigies féminines de Goya, due à la générosité de Carlos de Beistegui, et enfin *La Marquise de Santa Cruz* acquise récemment en paiement de droits de succession.

Durant la seconde moitié du XIXᵉ siècle et les premières années du XXᵉ siècle, les acquisitions d'œuvres du Siècle d'or sont moins nombreuses qu'on aurait pu l'espérer. Citons pourtant *Le Pied-Bot* de Ribera, entré avec la donation La Caze et le *Saint Louis* du Greco qui précède au Louvre (1903) *Le Calvaire* déjà cité, au moment où Maurice Barrès va écrire *Le Secret de Tolède*. Aucun des tableaux attribués à Velázquez qui rejoignent peu à peu le *Portrait de Marguerite,* lui-même discuté, ne peut raisonnablement être considéré comme autographe, lacune d'autant plus regrettable que la jeune peinture — pour Manet : «C'est le peintre des peintres» — reconnaît alors en lui l'un de ses maîtres. Lorsqu'on sait aujourd'hui que le Louvre était sur le point d'acquérir en 1905 *La Vénus au miroir,* quand la National Gallery l'emporta…

L'effort des conservateurs porte alors sur une autre période, celle des primitifs qu'on commençait seulement à redécouvrir. Coup sur coup sont acquis en 1904 et 1905 les *Scènes de la vie de saint Georges,* identifiées plus tard comme du Catalan Martorell, *L'Imposition de la chasuble à saint Ildefonse* d'un maître hispano-flamand de Castille et trois panneaux d'un polyptyque valencien du XVᵉ siècle venant de la cathédrale de Burgo de Osma. Tableaux peu nombreux, mais qui constituent, avec le retable de *La Flagellation du Christ* peint par Huguet pour la cathédrale de Barcelone, une salle de rare qualité dont on trouve peu d'équivalents hors d'Espagne.

Les acquisitions plus récentes ont heureusement diversifié la collection, en introduisant des œuvres significatives de maîtres du XVIᵉ siècle (*Le Calvaire* du bruxellois hispanisé Campana) et du XVIIᵉ siècle absents du fonds (Tristan, Valdés Leal, Carducho, Alonso Cano, Espinosa), en évoquant, trop succinctement encore, le XVIIIᵉ siècle (Melendez avec son *Portrait de l'artiste* et une *Nature morte*) et en complétant certaines suites. Deux toiles de Herrera provenant de Saint-Bonaventure de Séville, offertes par la Société des amis du Louvre, sont venues rejoindre celles de Zurbarán, tandis qu'un autre épisode de la suite franciscaine de Murillo (des franciscains de Séville) retrouvait *La Cuisine des anges.* De tous ces enrichissements, outre les œuvres de Goya, la spectaculaire *Messe de fondation de l'ordre des Trinitaires* peinte par Carreño de Miranda en 1666 pour les trinitaires de Pampelune, donnée par la comtesse de Caraman (1964), est à coup sûr le plus somptueux.

Maître de saint Ildefonse
Castille, fin du XVᵉ siècle
*Imposition de la chasuble
à saint Ildefonse,*
vers 1490/1550
Bois. 2,30 x 1,67
Acquis en 1904

Bernardo Martorell
Barcelone,
connu de 1427 à 1452
La Flagellation de saint Georges,
vers 1435
Bois. 1,07 x 0,53
Don de la Société
des amis du Louvre, 1904

Jaime Huguet
Valls, 1414 – Barcelone, 1491
La Flagellation du Christ,
entre 1450 et 1460
Bois. 1,06 x 2,10
Acquis en 1967 avec l'aide
de la Société des amis du Louvre

Maître portugais (?),
milieu du XVᵉ siècle
L'Homme au verre de vin,
vers 1450
Bois. 0,63 x 0,44
Acquis en 1906

Pedro Berruguete
Paredes de Nava,
vers 1450 –
Paredes de Nava, 1504
Platon,
vers 1477
Bois. 1,01 x 0,69
Collection du marquis Campana,
acquis en 1863

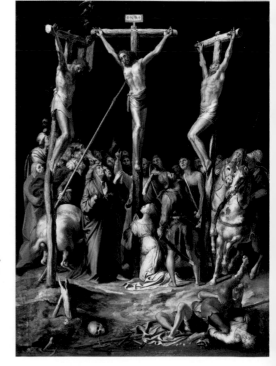

Peter de Kempener,
dit Pedro Campana
Bruxelles, 1503 –
Bruxelles, 1580
Crucifixion,
vers 1550
Toile marouflée sur bois.
0,54 x 0,39
Acquis en 1986

Domenico
Theotocopoulos,
dit le Greco
Candie, 1541 –
Tolède, 1614
*Le Christ en croix
adoré par
deux donateurs,*
entre 1576 et 1579
Toile. 2,60 x 1,71
Acquis en 1908

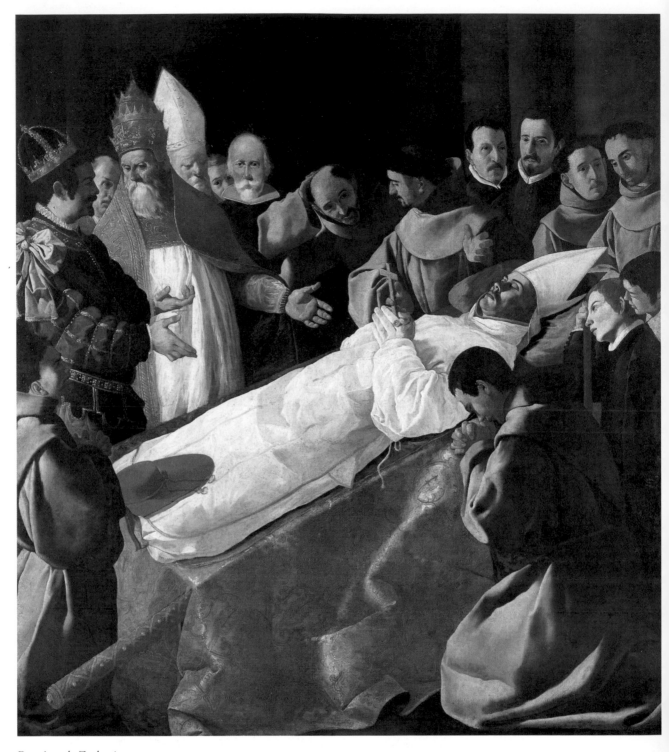

Francisco de Zurbarán
Fuente de Cantos, 1598 –
Madrid, 1664
*L'Exposition du corps
de saint Bonaventure,*
vers 1629
Toile. 2,45 x 2,20
Acquis en 1858

Le Louvre conserve une autre toile de Zurbarán (*Saint Bonaventure au concile de Lyon*) et deux de Francisco de Herrera qui appartiennent à une série de peintures consacrée à la vie de saint Bonaventure et qui fut peinte pour le collège franciscain de Saint-Bonaventure à Séville. La piété militante des grands ordres monastiques avait multiplié au cours du Siècle d'or de tels cycles illustrant la vie miraculeuse des saints populaires. Utilisant le langage du ténébrisme caravagesque, Zurbarán retrouve ici l'intense simplicité des primitifs.

Francisco de Herrera
l'Ancien
Séville, vers 1585 –
Madrid, après 1657
*Saint Basile dictant
sa doctrine,*
vers 1639
Toile. 2,43 x 1,94
Acquis en 1858

Alonso Cano
Grenade, 1601 –
Grenade, 1667
Saint Jean l'Évangéliste,
1636
Toile. 0,53 x 0,35
Acquis en 1977

José de Ribera
Játiva, 1591 –
Naples, 1652
Adoration des bergers,
1650
Toile. 2,39 x 1,81
Donné par le roi de Naples
à la République française en 1802
en indemnisation de tableaux
pris à Saint-Louis-des-Français
par les troupes napolitaines

Francisco Collantes
Madrid (?), vers 1599 –
Madrid (?), 1656
Le Buisson ardent,
vers 1634
Toile. 1,16 x 1,63
Collection de Louis XIV

Juan Carreño
de Miranda
Gijón, 1614 –
Madrid, 1685
*La Messe de fondation
de l'ordre des Trinitaires,*
1666
Toile. 5,00 x 3,31
Don de la comtesse de Caraman,
1964

Bartolomé Esteban Murillo
Séville, 1618 –
Séville, 1682
La Naissance de la Vierge,
entre 1655 et 1658
Toile. 1,79 x 3,49
Acquis en 1858

Bartolomé Esteban Murillo
Séville, 1618 –
Séville, 1682
Le Jeune Mendiant,
vers 1650
Toile. 1,34 x 1,10
Collection de Louis XVI,
acquis en 1782

Cette œuvre appartient aux débuts de la carrière de Murillo. C'est sans doute l'une des premières parmi les scènes de genre où il montre des enfants des rues, avec un goût du pittoresque qui n'exclut pas toujours une certaine complaisance anecdotique. Ici, la sincérité du regard porté sur le réel, la vigueur du métier situent Murillo dans la pure tradition du «ténébrisme» espagnol, celle du jeune Velázquez et de Zurbarán. On ne s'étonne pas de l'admiration ressentie par des peintres tels que Courbet, Manet ou Monet devant de telles œuvres.

Francisco Goya
y Lucientes
Fuendetodos, 1746 –
Bordeaux, 1828
La Femme à l'éventail,
vers 1805/10
Toile. 1,03 x 0,83
Acquis en 1898

Francisco Goya
y Lucientes
Fuendetodos, 1746 –
Bordeaux, 1828
Ferdinand Guillemardet,
1798
Toile. 1,86 x 1,24
Legs Louis Guillemardet, 1865

Luis Melendez
Naples, 1716 –
Madrid, 1780
Nature morte,
vers 1760/70
Toile. 0,40 x 0,51
Legs Émile Wauters, 1934

Francisco Goya
y Lucientes
Fuendetodos, 1746 –
Bordeaux, 1828
La Marquise de la Solana,
vers 1793
Toile. 1,81 x 1,22
Donation Carlos de Beistegui,
1942

Le XVIIe et le XVIIIe siècle italien

Pour cette école, comme pour d'autres, c'est à Louis XIV que l'on doit la constitution d'un véritable fonds. Mais quelques tableaux italiens «modernes» étaient déjà entrés dans la collection royale sous Louis XIII, telle *La Félicité publique triomphant des dangers* peinte pour Marie de Médicis par Orazio Gentileschi lors de son séjour en France (1624-1625). On sait que Guido Reni puis Guerchin avaient été invités, mais en vain, à venir travailler en France pour le roi.

Le goût pour la «grande manière» bolonaise et romaine s'était répandu au milieu du siècle chez les amateurs parisiens. Le Romain Romanelli, après avoir peint le plafond d'une galerie pour le cardinal Mazarin (galerie Mazarine, aujourd'hui Bibliothèque nationale), exécute à fresque (1655-1657) le décor des appartements d'été de la reine Anne d'Autriche au Louvre.

Autre exemple brillant de cette prédilection des collectionneurs français du temps, la galerie édifiée autour de 1643-1645 par Louis-Philippeaux de La Vrillière est décorée d'une suite de grandes toiles illustrant des faits de l'histoire romaine et commandées aux plus illustres peintres travaillant alors à Rome et à Bologne : Guerchin, Pierre de Cortone, Alessandro Turchi et Carlo Maratta, pour faire suite à deux tableaux de Guido Reni *(L'Enlèvement d'Hélène)* et de Poussin *(Le Maître d'école de Faléries)* déjà dans sa collection. Cette série de dix grandes compositions, transportées au Louvre sous la Révolution et depuis lors remplacées par des copies, a malheureusement été dispersée, le Louvre gardant les tableaux de Poussin, Reni et Turchi, l'un des Guerchin et l'un des Pierre de Cortone, les autres peintures étant envoyées dans divers musées de province.

Les achats globaux des collections Mazarin et Jabach introduisent chez Louis XIV quelques pièces majeures du Seicento : *La Mort de la Vierge* de Caravage et les quatre tableaux de *L'Histoire d'Hercule* de Guido Reni, qui venaient de la galerie de Charles Ier d'Angleterre et auparavant de celle des ducs de Mantoue. Par la suite, de nombreuses peintures des bien-aimés Bolonais (les Carrache, Reni, Guerchin, Dominiquin, l'Albane) enrichissent le cabinet de Louis XIV, achetées à tel ou tel amateur italien ou français, ou données au roi par l'un d'eux. Le prince Pamphilij lui envoie ainsi de Rome (1665) *La Chasse* et *La Pêche* d'Annibal Carrache, en même temps que *La Bonne aventure* de Caravage ; André Le Nôtre, le «jardinier du roi», lui laisse ses Albane (1693). Parmi les œuvres des autres écoles italiennes de la collection de Louis XIV, on peut citer d'importantes toiles de Fetti *(La Mélancolie)*, Rosa, Lanfranco, Baciccio et Castiglione.

Sous Louis XV, l'achat fait à la succession du prince de Carignan (1741) introduit dans la collection d'autres toiles de Pierre de Cortone, Maratta et surtout de Castiglione *(Les Vendeurs chassés du Temple, L'Adoration des bergers)*, l'un des inspirateurs des Français du XVIIIe siècle. Les achats systématiques entrepris par d'Angiviller sous Louis XVI pour compléter le futur musée comprennent aussi des œuvres du Seicento *(La Résurrection de Lazare*

Giuseppe Maria Crespi
Bologne, 1665 –
Bologne, 1747
La Puce,
vers 1720/25
Toile. 0,54 x 0,40
Don de la Société des amis du Louvre, 1970

de Guerchin) et des débuts du siècle (*Les Vendeurs chassés du Temple* de Solimena). Il est surprenant que les responsables des collections royales aient acquis au cours du XVIIIᵉ siècle si peu d'œuvres des maîtres italiens contemporains. Les Vénitiens Sebastiano Ricci et surtout Rosalba Carriera et Giovanni Antonio Pellegrini avaient pourtant fait sensation au cours de leur séjour à Paris (1716 et 1720), dont seuls témoignent aujourd'hui leurs « morceaux de réception » à l'Académie royale de peinture et de sculpture entrés au Louvre avec les collections de l'Académie sous la Révolution. L'on a perdu trace du tableau envoyé par Tiepolo à Louis XV. Rien non plus des maîtres romains, si liés pourtant à leurs camarades ou émules français résidant à Rome, dans l'élaboration de ce qui sera le néo-classicisme, sauf de Giovanni-Paolo Pannini, protégé, il est vrai, par l'ambassadeur de France, le cardinal de Polignac.

Un chef-d'œuvre du XVIIIᵉ siècle vénitien entre opportunément dans les collections du musée à la Révolution, c'est la série étincelante des *Fêtes vénitiennes* par Francesco Guardi, illustrant les cérémonies du couronnement du doge Alvise Mocenigo en 1763. Cette suite de douze peintures a été démembrée par l'envoi de certaines toiles en province sous l'Empire.

Les grands Bolonais du XVIIᵉ siècle constituaient l'une des gloires provisoires du musée Napoléon. La plupart des tableaux de cette école pris en Italie furent restitués en 1815. Restaient pourtant à Paris quelques toiles majeures de Ludovico (*Apparition à saint Hyacinthe*) et d'Annibal Carrache (*Apparition à saint Luc et sainte Catherine*), de Guerchin (*Les Saints Protecteurs de Modène*) et de quelques autres, achevant de faire de cette collection émilienne du Louvre la plus complète qui soit hors de Bologne.

Il est caractéristique de cette admiration traditionnelle et privilégiée des Français que, à quelques exceptions près (encore Salvator Rosa), elle excluait les autres écoles du Seicento. La représentation de cette période, si nettement insuffisante pour les Lombards, les Napolitains ou les Florentins, se ressent encore aujourd'hui de ce déséquilibre. Un effort a donc été porté de ce côté, qui a permis de faire entrer dans les collections des toiles significatives de Serodine, Manfredi, Biliverti, Giulio-Cesare Procaccini ou Cavallino.

Au cours du siècle dernier, la collection du XVIIᵉ siècle italien s'était d'ailleurs peu accrue. En revanche, la section du XVIIIᵉ siècle s'était constituée. On acquiert la *Vue de la Salute* de Marieschi (alors attribuée à Canaletto) et d'importants Pannini sous Louis-Philippe, *La Cène* de Gian-Battista Tiepolo en 1877 et plus tard l'esquisse de plafond (*Triomphe de la Religion*) de Gian-Domenico Tiepolo. La collection du Settecento n'a pourtant pris sa véritable consistance que depuis une cinquantaine d'années, lorsque de nouvelles œuvres des deux Tiepolo, de Pellegrini, de Sebastiano Ricci et de Pittoni ont complété l'ensemble vénitien, que domine désormais la monumentale *Assomption* de Piazzetta (recouvrée au musée de Lille suite à un échange), ensemble où Pietro Longhi (*La Présentation*) et Canaletto (donations Péreire et Lyon) ont enfin pris place. On doit noter l'apport capital des tableaux de la collection Schlageter et Kaufmann, donnée avec une réserve d'usufruit en 1984 et qui comporte des toiles de Tiepolo, Pittoni, Pellegrini, Solimena, Creti ou Giaquinto. L'école napolitaine est aussi mieux représentée (de Mura, Mondo), tandis que sont enfin évoquées les tendances réalistes longtemps éclipsées par la gloire vénitienne : le fantastique de Magnasco (*Le Repas des bohémiens*), le naturalisme théâtral de Traversi (*La Séance de pose*) ou l'art du portrait d'un Ghislandi. Place a aussi été faite à Pompeo Batoni, figure centrale de la peinture romaine (*Portrait de Charles Crowle*).

Michelangelo Merisi,
dit le Caravage
Caravaggio, 1570 ou 1571 –
Port'Ercole, 1610
La Diseuse de bonne aventure,
vers 1594/95
Toile. 0,99 x 1,31
Collection de Louis XIV,
acquis en 1665

Michelangelo Merisi,
dit le Caravage
Caravaggio, 1570 ou 1571 –
Port'Ercole, 1610
La Mort de la Vierge,
1605/06
Toile. 3,69 x 2,45
Collection de Louis XIV,
acquis en 1671

Orazio Gentileschi
Pise, 1563 –
Londres, 1639
*La Félicité publique
triomphant des dangers,*
vers 1624/25
Toile. 2,68 x 1,70
Collection de Marie de Médicis

Orazio Gentileschi
Pise, 1563 –
Londres, 1639
Le Repos de la Sainte Famille,
vers 1628
Toile. 1,58 x 2,25
Collection de Louis XIV,
acquis en 1671

Bartolomeo Manfredi
Ostiano, 1582 –
Rome, après 1622
David triomphant,
vers 1615
Toile. 1,28 x 0,97

Giovanni Serodine
Ascona, 1600 – Rome, 1630
Jésus parmi les docteurs,
vers 1625
Toile. 1,45 x 2,24
Acquis en 1983

Guido Reni
Bologne, 1575 –
Bologne, 1642
David tenant la tête de Goliath,
vers 1601-1605
Toile. 2,37 x 1,37
Collection de Louis XIV

Giulo Cesare Procaccini
Bologne, vers 1570 –
Milan, 1625
L'Annonciation,
vers 1620 (?)
Toile. 2,36 x 1,63
Don de la Société
des amis du Louvre, 1986

Le Seicento italien est magnifiquement représenté au Louvre, mais de façon déséquilibrée : si Bologne et Rome le sont de façon très complète, d'autres écoles comme Naples, Florence ou Venise le sont de façon très lacunaire. Le don par la Société des amis du Louvre de cette étincelante et élégante *Annonciation* permet de faire figurer par une toile maîtresse un des plus grands créateurs d'une école presque absente jusqu'ici, celle de la Lombardie.

Annibal Carrache
Bologne, 1560 – Rome, 1609
La Pêche,
vers 1585/88
Toile. 1,35 x 2,53
Collection de Louis XIV,
acquis en 1665

Annibal Carrache
Bologne, 1560 - Rome, 1609
La Chasse, vers 1585
Toile. 1,36 x 2,53
Collection de Louis XIV
Acquis en 1665

Domenico Zampieri,
dit Dominiquin
Bologne, 1581 –
Rome, 1641
*Paysage avec Herminie
chez les bergers,*
vers 1620
Toile. 1,23 x 1,81
Collection de Louis XIV,
acquis en 1661

Ludovico Carrache
Bologne, 1555 –
Bologne, 1619
*Apparition de la Vierge
à saint Hyacinthe,*
1594
Toile. 3,75 x 2,23
Provient de San Domenico, Bologne
Entré en 1797

Annibal Carrache
Bologne, 1560 –
Rome, 1609
*Apparition de la Vierge
à saint Luc
et sainte Catherine,*
1592
Toile. 4,01 x 2,26
Provient du duomo
de Reggio Emilia
Entré en 1797

Gian Francesco Barbieri,
dit le Guerchin
Cento, 1591 –
Bologne, 1666
*Les Saints protecteurs
de la ville de Modène,*
vers 1651/52
Toile. 3,32 x 2,30
Provient de la Galerie ducale
de Modène
Entré en 1797

Gian Francesco
Barbieri,
dit le Guerchin
Cento, 1591 –
Bologne, 1666
La Résurrection de Lazare,
vers 1619
Toile. 1,99 x 2,33
Collection de Louis XVI,
acquis en 1785

Guido Reni
Bologne, 1575 –
Bologne, 1642
L'Enlèvement d'Hélène,
1631
Toile. 2,53 x 2,65
Saisi à la Révolution
(collection du duc de Penthièvre)

Guido Reni
Bologne, 1575 –
Bologne, 1642
*Déjanire
et le Centaure Nessus,*
1621
Toile. 2,59 x 1,93
Collection de Louis XIV,
acquis en 1662

Giovanni Francesco
Romanelli
Rome, vers 1610 –
Rome, 1662
Diane et Actéon,
vers 1655
Peinture murale. 4,50 x 3,55
Section du plafond
de la Petite Galerie au Louvre

Pierre de Cortone
Cortone, 1596 –
Rome, 1669
*Romulus et Remus
recueillis par Faustulus,*
vers 1643
Toile. 2,51 x 2,66
Saisi à la Révolution
(collection du duc de Penthièvre)

Giovanni-Battista
Gaulli,
dit Baciccio
Gênes, 1639 –
Rome, 1709
*La Prédication de saint
Jean-Baptiste,*
vers 1690
Toile. 1,81 x 1,72
Collection de Louis XIV,
entré avant 1695

Giovanni Benedetto
Castiglione
Gênes, vers 1611 (?) –
Mantoue, 1663 ou 1665
L'Adoration des bergers,
vers 1645/50
Cuivre. 0,68 x 0,52
Collection de Louis XV,
acquis en 1742

Domenico Fetti
Rome, vers 1589 –
Venise, 1623
La Mélancolie,
vers 1620
Toile. 1,68 x 1,28
Collection de Louis XIV,
acquis en 1685

Francesco Solimena
Pagani, 1657 –
Naples, 1747
*Les Vendeurs chassés
du Temple,*
vers 1723/25
Toile. 1,50 x 2,00
Collection de Louis XVI,
acquis en 1786

Salvator Rosa
Naples, 1615 –
Rome, 1673
*Apparition de l'ombre
de Samuel à Saül,*
1668
Toile. 2,75 x 1,91
Collection de Louis XIV,
acquis avant 1683

Alessandro Magnasco
Gênes, 1667 –
Gênes, 1749
Le Repas des bohémiens,
vers 1730/40
Toile. 0,80 x 1,18
Don de M. et Mme Christian Lazard,
1927

Gaspare Traversi
Naples, vers 1722/24 –
Rome, 1770
La Séance de pose, 1754
Toile. 0,99 x 1,305
Don de la Société
des amis du Louvre, 1990

Cette peinture fut commandée à Piazzetta par le prince électeur de Cologne pour orner le maître-autel de l'église de l'ordre teutonique à Sachsenhausen. C'est un exemple éblouissant de ces grandes compositions tout en hauteur, construites sur un mouvement rythmique ascendant, issues des inventions romaines et vénitiennes, et que l'architecte baroque germanique devait adopter. Habitué dans ses œuvres antérieures à des coloris plus sombres, Piazzetta allège et éclaircit sa palette, mais garde aux formes toute leur puissance plastique.

Giambattista Piazzetta
Venise, 1683 –
Venise, 1754
L'Assomption de la Vierge,
1735
Toile. 5,15 x 2,45
Provient de l'église de l'ordre
teutonique de Sachsenhausen,
près de Francfort
Entré en 1796

Gian-Battista Tiepolo
Venise, 1696 –
Madrid, 1770
La Cène,
vers 1745/50
Toile. 0,79 x 0,88
Acquis en 1877

Gian-Domenico Tiepolo
Venise, 1727 –
Venise, 1804
Scène de carnaval,
vers 1754/55
Toile. 0,80 x 1,10
Legs Alexandre-Robert Le Roux
de Villers, 1938

Pietro Longhi
Venise, 1702 –
Venise, 1785
La Présentation,
vers 1740
Toile. 0,64 x 0,53
Attribué par l'Office
des biens privés, 1950

Francesco Guardi
Venise, 1712 –
Venise, 1793
*L'Audience accordée par
le doge aux ambassadeurs
dans la salle du collège
au palais des Doges,*
vers 1766/70
Toile. 0,66 x 1,00
Saisi à la Révolution
(collection de Pestre de Seneffe)

Giovanni-Paolo Pannini
Plaisance, 1691 –
Rome, 1764
*Fête musicale donnée
par le cardinal
de La Rochefoucauld
au théâtre Argentina
de Rome le 15 juillet 1747
à l'occasion du mariage
du dauphin de France,* 1747
Toile. 2,04 x 2,47
Collection de Louis-Philippe

Francesco Guardi
Venise, 1712 –
Venise, 1793
*Le Doge sur le Bucentaure
à San Niccolo du Lido,*
vers 1766/70
Toile. 0,67 x 1,00
Saisi à la Révolution
(collection de Pestre de Seneffe)

Ce tableau appartient à une série de douze toiles
presque toutes au Louvre, qui racontent les divers
épisodes de l'élection d'un doge (Alvise Mocenigo
en 1763) à Venise. Guardi s'est inspiré pour ce
« reportage » de gravures d'Antonio Canaletto.
Témoignage alerte et pittoresque, cette suite
atteste le brio pictural de Guardi et sa sensibilité,
toute moderne, aux effets atmosphériques les plus
diaphanes.

Pompeo Batoni
Lucques, 1708 –
Rome, 1787
Portrait de Charles Crowle,
1761/62
Toile. 2,48 x 1,72
Don de la Société des amis
du Louvre, 1981

Albrecht Dürer
Nuremberg, 1471 – Nuremberg, 1528
Portrait de l'artiste,
1493
Parchemin marouflé sur toile. 0,56 x 0,44
Acquis en 1922

Les pays germaniques et scandinaves

Le Louvre ne saurait prétendre — mais quel musée hors d'Allemagne le pourrait ? — illustrer la longue histoire de la peinture dans les pays germaniques. Du moins sa collection, si discontinue qu'elle soit, comporte-t-elle quelques points forts. Si on veut les souligner chronologiquement, et non en suivant comme ailleurs l'ordre d'entrée dans les collections, on notera d'abord les mérites d'un petit groupe d'œuvres relevant du style gothique international. Curieusement, plusieurs de ces tableautins passèrent pour français à une époque, l'entre-deux-guerres, où l'enthousiasme pour les primitifs français redécouverts multipliait profitablement leur production au détriment de peintres germaniques ou espagnols. On attribue aujourd'hui ces panneaux à des artistes saxons (*La Vierge aux églantines avec Otto von Hohenstein, évêque de Merseburg,* vers 1400), autrichiens (*La Vierge à l'écritoire,* vers 1420) ou du Rhin inférieur (petit polyptyque dit *Chapelle Cardon,* légué par le collectionneur belge Cardon en 1921). Aux courants du gothique courtois le plus raffiné d'Europe centrale appartient une *Vierge à l'Enfant* sortie des ateliers de Bohême (deuxième quart du XVᵉ siècle).

On remarquera ensuite l'importance de l'ensemble des primitifs colonais. Commençant avec un minuscule *Miracle de saint Voult,* un temps attribué lui aussi à un Français, mais peint vers 1440 par un disciple de Stefan Lochner, cette suite de tableaux illustre l'activité de la plupart des maîtres de la fin du XVᵉ siècle, tous anonymes, travaillant dans ce fécond foyer de peinture. Ainsi le Maître de saint Barthélemy avec sa monumentale *Descente de croix* qui se trouvait à Paris dès le XVIᵉ siècle, le Maître de la Sainte-Parenté (*Retable des sept joies de Marie,* acquis en 1912), le Maître de la Légende de saint Bruno, le Maître de saint Séverin (*Circoncision, Présentation au Temple,* don de la Société des amis du Louvre, 1972) et le Maître de sainte Ursule (deux *Scènes de la vie de sainte Ursule,* faisant partie d'une suite dispersée entre plusieurs musées). Colonais d'origine paraît l'auteur de la *Pietà,* peinte vers 1500 à Paris pour l'église Saint-Germain-des-Prés et qui présente, à l'arrière-plan, une précieuse vue de Paris. Enfin, le dernier peintre colonais de la Renaissance, Barthel Bruyn, est présent avec le double portrait de la nombreuse famille Gail (acquis en 1916).

Les autres écoles du XVᵉ siècle allemand ne sont représentées que par quatre ou cinq panneaux. On en détachera *L'Annonciation* avec deux *Saints* du maître d'Ulm, Bartholommaus Zeitblom, donnée par la marquise Arconati-Visconti (1916) et un *Saint Georges délivrant la princesse* d'un maître du Rhin supérieur de la fin du XVᵉ siècle. Il faut mettre à part un mystérieux *Portrait de femme* (dite *Sybille delphique*) acheté en 1920 et qui a été attribué à Ludger Tom Ring, peintre travaillant à Münster au milieu du XVIᵉ siècle. L'œuvre paraît pourtant bien du XVᵉ siècle, reflétant l'influence du Maître de Flemalle.

Dürer et Holbein dominent l'ensemble des grands maîtres de la Renaissance. Le *Portrait de l'artiste* de 1493 de Dürer, sans doute le premier autoportrait indépendant peint au nord des Alpes, si l'on excepte celui sur émail de Fouquet (Louvre), a été acquis en 1922 par le Louvre, qui possédait déjà de l'artiste deux peintures sur toile (conservées au cabinet des Dessins) : *La Tête de jeune garçon* curieusement barbu (1527) et surtout le magistral *Portrait de vieillard* daté de 1520.

Les cinq portraits de Holbein, l'une des gloires du musée, sont entrés dans la collection royale au XVIIᵉ siècle. Le portrait d'*Érasme* est un cadeau de Charles Iᵉʳ à son beau-frère Louis XIII, en échange du *Saint Jean-Baptiste* de Léonard (qui revint plus tard chez Louis XIV). Les autres tableaux *(William Warham, Henry Wyatt, Nikolas Kratzer, Anne de Clèves)* avaient appartenu au comte d'Arundel, insatiable collectionneur, modèle et rival de Charles Iᵉʳ, et furent achetés pour la collection de Louis XIV chez Jabach. Une autre pièce maîtresse de la Renaissance allemande appartenait à Louis XIV (venant de Mazarin), c'est la table peinte avec une minutieuse fantaisie par Hans Sebald Beham (1534) pour le cardinal Albert de Brandebourg et racontant les *Scènes de l'histoire de David*.

La collection comporte également un groupe de peintures de Lucas Cranach, parmi lesquelles on distinguera une *Vénus* acquise en 1806 et un portrait présumé de *Magdalena Luther*, acheté en 1910. Les autres œuvres datant de la première moitié du XVIᵉ siècle composent un ensemble plus disparate, de *L'Adoration des mages* d'Ulrich Apt, d'Augsbourg, acquise en 1807, au *Chevalier, la Jeune Fille et la Mort* de Hans Baldung Grien. Une acquisition récente, celle de *La Déploration du Christ* de Wolf Huber, permet d'évoquer le lyrisme et les libertés picturales des maîtres de l'école du Danube que notre époque a réappris à goûter.

Le XVIIᵉ siècle allemand, dont diverses expositions récentes ont révélé la diversité, n'est représenté que par quelques rigoureuses et poétiques natures mortes (Georg Flegel, Gothfried de Wedig). Pour le XVIIᵉ siècle en Allemagne et en Autriche, il faut surtout citer, à côté d'une esquisse de Maulbertsch (*Annonciation*, acquise en 1987), une suite, qui mériterait d'être mieux connue, de portraits : études psychologiques (Denner, Seybold), effigies officielles (Mengs) et tableaux illustrant le type international du portrait élégant de la fin du siècle (Angelica Kauffman, Graff), portrait dont la formule se retrouve chez Lampi et en Russie (Levitski, Borovikovski).

La peinture des pays germaniques du XIXᵉ siècle ne figurait naguère dans les collections nationales que grâce à des œuvres de la seconde moitié du siècle (Mackart, Böcklin, Liebermann), aujourd'hui exposées au musée d'Orsay. Encore isolé — comment ne pas souhaiter l'entourer ? — le plus grand peintre allemand du début du siècle et l'un des génies du romantisme européen, Caspar David Friedrich, est désormais présent au Louvre avec *L'Arbre aux corbeaux,* acquis en 1975.

De même a-t-on commencé à évoquer l'admirable « Âge d'or » danois grâce à quelques petits tableaux de Kobke, Jensen et Eckersberg et surtout le *Modèle nu assis* de ce dernier, vision intimiste et très personnelle du néo-classicisme davidien.

Maître de la Sainte-Parenté
Actif à Cologne entre 1475
et 1510 environ
*Retable des sept joies
de Marie,*
vers 1480
Bois. 1,27 x 1,82
Acquis en 1912

Maître de saint Barthélemy
Actif à Cologne entre 1475
et 1510 environ
La Descente de croix,
vers 1500/05
Bois. 2,27 x 2,10
Provient de l'église du Val-de-Grâce à Paris
Entré en 1797

Lucas Cranach
Kranach, 1472 –
Weimar, 1553
Vénus, 1529
Bois. 0,33 x 0,26
Entré en 1806

Lucas Cranach
Kranach, 1472 –
Weimar, 1553
*Portrait présumé
de Madgalena Luther,
fille de Martin Luther,*
vers 1540 (?)
Bois. 0,39 x 0,25
Acquis en 1910

École allemande,
XVe siècle (?)
Portrait de femme,
dit *La Sybille delphique*
Bois. 0,44 x 0,31
Acquis en 1920
Attribué à Ludger Tom Ring
l'Ancien

Hans Baldung Grien
Gmünd, 1484/85 –
Strasbourg, 1545
Le Chevalier,
la Jeune Fille
et la Mort,
vers 1505
Bois. 0,355 x 0,296
Acquis en 1924

Wolf Huber
Felkirch (?), vers 1485 –
Passau, 1553
La Déploration du Christ,
1524
Bois. 1,05 x 0,86
Acquis en 1968

Hans Holbein
Augsbourg, 1497 –
Londres, 1543
Nikolas Kratzer,
1528
Bois. 0,83 x 0,67
Collection de Louis XIV,
acquis en 1671

Hans Holbein
Augsbourg, 1497 –
Londres, 1543
Érasme,
1523
Bois. 0,42 x 0,32
Collection de Louis XIV,
acquis en 1671

Hans Sebald Beham
Nuremberg, 1500 –
Francfort, 1550
*Scènes de l'histoire
de David*, 1534
Table peinte, bois. 1,28 x 1,31
Collection de Louis XIV

Georg Flegel
Olmütz, 1556 – Francfort-sur-
le-Main, 1638
Nature morte aux poissons, 1637
Bois. 0,19 x 0,15
Acquis en 1981

Christoffer-Wilhelm
Eckersberg
Sundeved, 1783 –
Copenhague, 1853
Modèle nu assis,
1839
Toile. 0,45 x 0,33
Acquis en 1987

Caspar David Friedrich
Greifswald, 1774 –
Dresde, 1840
L'Arbre aux corbeaux,
vers 1822
Toile. 0,59 x 0,74
Acquis en 1975

Thomas Gainsborough
Sudbury, 1727 –
Londres, 1788
Conversation dans un parc,
vers 1746/47
Toile. 0,73 x 0,68
Don de Pierre Bordeaux-Groult, 1952

La Grande-Bretagne

On sait que la peinture de Grande-Bretagne, très inégalement représentée dans la plupart des grands musées hors des pays anglo-saxons y fait souvent, de ce fait, figure de parent pauvre. Sans offrir pour autant une illustration suffisamment variée et nuancée des diverses tendances de cette école, le Louvre échappe quelque peu à cette règle. Sa collection britannique est assez étendue ; elle commence avec un bon exemplaire du *Portrait d'Édouard VI* (vers 1551-1552) de William Scrots et se poursuit jusqu'à la fin du XIXᵉ siècle (les tableaux de la seconde moitié du XIXᵉ siècle, à partir des préraphaélites, sont maintenant présentés au musée d'Orsay). Manquent encore, certes, des personnalités de la taille de Hogarth, de Richard Wilson, de William Blake ou de Samuel Palmer, mais bon nombre des autres peintres importants, de Ramsay à Turner, sont évoqués par des œuvres valables, sinon toujours exceptionnelles ou assez nombreuses.

A certains cas près (l'achat dès 1849 d'un petit tableau de Bonington, *François Iᵉʳ et la Duchesse d'Étampes*, et l'entrée du *Parterre d'eau à Versailles* du même artiste, ainsi que de deux Constable), la constitution de cette collection s'est effectuée en deux temps : autour de 1880-1910 et depuis la dernière guerre.

La première étape correspond à une période de grande vogue de la peinture anglaise, ou du moins d'une certaine vision de la peinture anglaise à Paris, vogue soutenue par des revues d'art (*L'Art,* plus tard *Les Arts*) et des grands marchands, tel Charles Sedelmeyer, et dont témoignent par exemple l'organisation d'une exposition à Bagatelle (1905) et surtout l'entrée de nombreux tableaux anglais dans les grandes collections parisiennes de l'époque. L'une d'elles, constituée avec passion par Camille Groult, devint aussi célèbre pour ses Gainsborough et ses Turner que pour ses Watteau. C'est dans ce climat de ferveur britannique que le Louvre acquit à Paris ou à Londres certains de ses plus remarquables portraits, *Mr et Mrs John Julius Angerstein* de Lawrence (1896), *Sir John Stanley* de Romney (1897), *Le Capitaine Robert Hay* de Raeburn (1908) par exemple, et qu'il reçut bon nombre de toiles qui, on peut l'avouer aujourd'hui, parlent sans doute davantage en faveur de la générosité anglomane de leur donateur que des qualités de leur auteur présumé. Fort heureusement, certaines pièces de premier ordre émergent de cet ensemble : le fameux *Master Hare* de Reynolds, légué par le baron Alphonse de Rothschild (1905), et plusieurs œuvres de Bonington.

Le Louvre s'est enrichi, aussitôt après la dernière guerre, de peintures qui rappellent ce goût des grands amateurs français de la fin du siècle passé pour l'élégance et le brio pictural des meilleurs portraitistes anglais du XVIIIᵉ siècle : le somptueux portrait de *Lady Alston* de Gainsborough, chef-d'œuvre de la période de Bath, donné en 1947 par les héritiers du baron Robert de Rothschild. Provenant de la collection Groult et dus à ses héritiers, citons encore la délicieuse *Conversation dans un parc,* rare œuvre de jeunesse du même artiste, et le *Portrait de Charles William Bell* de Lawrence.

Depuis lors, les conservateurs du département des Peintures tentent de compléter plus systématiquement ce fonds ; d'une part, en renforçant la représentation de certains artistes, tel Constable, qui a tant compté, à la naissance du romantisme français, pour une libération visuelle des artistes devant la nature, *Vue dans le parc de Helmingham* achetée en 1948, *Vue de Salisbury,* léguée par Percy Moore Turner (1952), ou Lawrence, *Portrait présumé des enfants de John Angerstein,* acquis grâce à la Société des amis du Louvre ; d'autre part, en cherchant à combler les plus regrettables lacunes. Particulièrement sensible fut longtemps l'absence de Turner, le plus grand sans doute des peintres anglais, que lie à la France sa vénération pour Claude Lorrain, comme plus subtilement ses fulgurantes trouvailles de précurseur. Il figure désormais au Louvre grâce à l'une de ses toiles tardives qui semblent inachevées tant les formes y paraissent dissoutes dans l'étincellement d'un brouillard lumineux.

L'histoire de la peinture anglaise du XVIIIe siècle a bien changé depuis trente ans, tandis que se modifiait l'échelle des valeurs qui la régissait. Longtemps négligés, des artistes comme Stubbs ou Wright of Derby y retrouvent à juste titre une place privilégiée, rejetant dans l'ombre certains portraitistes mondains au pinceau trop facile. On redécouvre aussi l'acide bonhomie des «conversation pieces» de Zoffany et, à l'opposé, les visions sulfureuses du Suisse anglicisé Füssli. Les achats d'une *Vue du lac de Nemi,* puis d'un *Portrait d'homme* de Wright, du *Portrait du révérend Randall Burroughes avec son fils* de Zoffany et de *Lady Macbeth* de Füssli, le don par la duchesse de Windsor du *Portrait du vicomte de Curzon avec sa jument Maria* par Stubbs marquent les débuts d'un programme d'acquisitions qui se proposerait de diversifier au Louvre l'image de cette fin du XVIIIe siècle si complexe et si riche.

De même une ouverture est faite sur la peinture du XIXe siècle aux États-Unis, avec la romantique *Croix dans la solitude* (1848) de Thomas Cole, acquise en 1975. Les artistes américains de la fin du siècle (Whistler, Eakins, Winslow Homer) sont aujourd'hui présentés au musée d'Orsay.

Thomas Gainsborough
Sudbury, 1727 –
Londres, 1788
Lady Alston,
vers 1760/65
Toile. 2,26 x 1,68
Don des héritiers du baron
Robert de Rothschild, 1947

L'œuvre date de la maturité de Gainsborough, de l'époque
où, portraitiste en vogue de l'aristocratie, il réside à Bath.
Suivant l'élégante tradition de Van Dyck, il situe largement
le modèle dans le paysage, mais la lumière fortement
contrastée qui éclaire lady Alston et fait miroiter les éclats
soyeux de ses vêtements (comme d'autres tableaux de cette
même période, l'œuvre a été peinte à la lueur d'une bougie)
et la profondeur de l'impénétrable forêt devant laquelle elle
pose donnent à cette effigie un caractère tout à fait original
de mystère et de poésie préromantique.

Joshua Reynolds
Plympton, 1723 –
Londres, 1792
Master Hare,
vers 1788/89
Toile. 0,77 x 0,63
Legs du baron
Alphonse de Rothschild, 1905

Joseph Wright,
dit Wright of Derby
Derby, 1734 –
Derby, 1797
Vue du lac de Nemi,
vers 1790/95
Toile. 1,05 x 1,28
Acquis en 1970

Johann Heinrich Füssli
Zurich, 1741 –
Londres, 1825
Lady Macbeth,
1784
Toile. 2,21 x 1,60
Acquis en 1970

Thomas Lawrence
Bristol, 1769 –
Londres, 1830
Mr et Mrs John Julius Angerstein,
1792
Toile. 2,52 x 1,60
Acquis en 1896

Le portrait de *Mr et Mrs John Julius Angerstein,* une des toiles maîtresse de Lawrence, représente, accompagné de sa femme, le fondateur de la compagnie d'assurances Lloyds, grand collectionneur, puisque le noyau des tableaux de la National Gallery de Londres fut constitué par l'achat en 1828 de sa collection. Les *Enfants Angerstein,* offert en 1975 par la Société des amis du Louvre, sont les petits-enfants du couple.

Henry Raeburn
Stockbridge, 1756 –
Édimbourg, 1823
Petite fille tenant des fleurs,
vers 1798/1800 (?)
Toile. 0,91 x 0,71
Legs de Mme Pierre Lebaudy, 1962

Thomas Lawrence
Bristol, 1769 –
Londres, 1830
*Portrait des enfants
de John Angerstein,*
1808
Toile. 1,94 x 1,44
Don de la Société des amis
du Louvre, 1975

John Constable
East Bergholt, 1776 –
Londres, 1837
Vue de Salisbury,
vers 1820 (?)
Toile. 0,35 x 0,51
Legs de Percy Moore Turner,
1952

Richard Parkes Bonington
Arnold, 1802 –
Londres, 1828
Sur l'Adriatique :
La lagune près de Venise,
vers 1826
Toile. 0,30 x 0,43
Acquis en 1926

Joseph Mallord William
Turner
Londres, 1775 –
Londres, 1851
Paysage avec une rivière
et une baie dans le lointain,
vers 1835/40
Toile. 0,93 x 1,23
Acquis en 1967

INDEX DES ARTISTES CITÉS

Conception graphique et réalisation en P.A.O. :
Jérôme Faucheux
Correction des épreuves : Sylvie Mascle
Photogravure : Daïchi Process-Singapour

Dépôt légal : novembre 1993

Imprimé en Italie par la Editoriale Libraria, juillet 1994